le chemin
des dames

Éditeurs:
LES ÉDITIONS LA PRESSE, LTÉE
7, rue Saint-Jacques
Montréal H2Y 1K9

Maquette de la couverture:
JEAN PROVENCHER

Illustrations de la couverture
et de l'intérieur:
YSEULT FERRON

1ère réimpression: 1978

Dépôt légal:
BIBLIOTHÈQUE NATIONALE DU QUÉBEC
3e trimestrè 1977
ISBN 0-7777-0187-1

MADELEINE FERRON

le chemin des dames

nouvelles

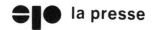 la presse

Du même auteur

Cœur de sucre, contes. Éditions H.M.H., 1966.

La fin des loups-garous, roman. Éditions H.M.H., 1966.

Le Baron écarlate, roman. Éditions H.M.H., 1971.

Quand le peuple fait la loi, essai (en collaboration avec Robert Cliche). Éditions H.M.H., 1972.

Les Beaucerons, ces insoumis, Histoire. Éditions H.M.H., 1974.

Table des matières

Le ballon

Les personnes logiques et sereines prévoient le cérémonial de leur trépas. Surtout celles qui ont beaucoup aimé la vie; elles ne voudraient pas se priver de participer à son ultime manifestation. J'ai connu un homme qui refusa d'être enseveli dans un de ces cercueils qui ressemblent à des bonbonnières disait-il, englouti sous des amas de fleurs aux parfums disparates et qui provoquent la nausée. Il avait demandé qu'on l'exposât assis dans son fauteuil préféré. Les parents et les amis qui vinrent visiter la dépouille trouvèrent le défunt au salon, occupant sa place coutumière, portant une redingote, fleurie à la boutonnière. On leur servit de l'alcool et ces menus aliments vinaigrés qui retardent l'ivresse.

Je rapporte ce fait mais ne l'approuve pas parce que sous une intention soi-disant amicale se cache, à n'en pas douter, un humour morbide. Le souvenir de cette lugubre mise en scène poursuit encore quelques-uns des amis du défunt et les rejoint la nuit dans d'effroyables cauchemars. D'ailleurs, ce climat dramatique fausse les témoignages d'amitié et rend difficile la digestion du whisky offert. Je ne ferai pas de ma mort un spectacle qui oblige les parents et amis à

7

y participer. Les instructions que je donne à mes héritiers ne concernent que moi.

Notre lot familial, au cimetière, suit la pente du coteau. Je veux que mon cercueil soit placé dans la même inclinaison. Je pourrai ainsi embrasser du regard cette partie de la Vallée qui est ma patrie. Elle dépasse à peine les limites de la paroisse. Je n'en suis jamais sortie, je n'en réclame pas d'autre même si les jeunes, aujourd'hui, n'en connaissent plus les limites.

Depuis une vingtaine d'années, la Beauce est envahie. En même temps, elle déborde. Elle éclate, propulsée de tous côtés pendant que des courants inconnus l'infiltrent, la diluent et ainsi la transforment. Ses frontières, devenues poreuses, ne sont plus imperméables aux forces étrangères dont elle subit l'emprise sans discerner celles qui lui seraient bénéfiques des autres qui l'avilissent.

Septuagénaire, j'ai le privilège de ne pas tenir compte de ces nouvelles réalités, de garder à mon pays ses limites originales qui retenaient, l'une près de l'autre, des familles semblables formant un noyau homogène, rassurant et exclusif. Cette notion d'appartenance est révolue. Est-ce un progrès? Je ne puis en décider sans remettre en jeu toute la mystique de ma vie. Péril que je ne saurais prendre. Ma vie est derrière moi. Je préfère n'en retenir qu'un harmonieux tissage de souvenirs.

Au matin, le soleil monte de l'horizon comme d'une tranchée qui serait parallèle au rang de l'Assomption. Le soir venu, il tombe derrière le village de Saint-Frédéric tout en haut du coteau opposé, délimitant ainsi ce minuscule pays qui me sécurise. Personne autrefois n'en franchissait les frontières. On ne pouvait s'en échapper que par le rêve, la pensée ou le ciel. J'attendrai que le soleil soit à son zénith pour rompre les liens qui m'attachent à la terre. Je m'envolerai, me volatiliserai pour aller me reconstituer dans l'infini, parcelle du cosmos, ou devenir une entité intégrée de l'Église triomphante?... je ne sais pas... Je ne sais plus... mais en fait quelle importance peut avoir mon inquiétude métaphysique puisque aussi longtemps que je vis je suis intégrée dans la réalité charnelle de ce pays. Ce pays qui avait ses lois, ses coutumes, son autonomie. Comme l'Italie! Je me réfère toujours à l'Italie parce qu'elle est pour moi personnifiée par un garçon que j'ai aimé autrefois. Je l'ai peut-être toujours aimé! Je m'interroge à ce sujet. Il vient de mourir. Pietro Mastroiani qu'il se nommait. Mon nom est maintenant célèbre, m'écrivait-il en m'enjoignant d'aller au cinéma y voir jouer son neveu Marcello. Je n'y suis pas allée. Peu m'importent les retombées de la gloire. Et je n'aime pas le cinéma.

Pietro était immigrant, un faux immigrant puisqu'il n'avait pas quitté son pays. Il le transportait en lui. J'en parle aujourd'hui parce que sa mort résout un dilemme. Je ne pouvais m'empêcher de me demander ce qu'aurait été mon destin sans cette implacable loi qui me destina au service des mâles de ma famille.

Quand j'arrive au bureau de poste, j'ai à peine refermé la porte que le commis brandit toujours mon courrier. Je le vois à travers le grillage du guichet. La reine préside au service postal de la lucarne de son encadrement doré, face à la porte d'entrée.

— Marie, votre lettre d'Italie!

Le commis agita ce jour-là une enveloppe plus grande que d'habitude, bordée d'un liséré noir. Je pensai aussitôt au vol du corbeau qui circonscrit l'endroit où gît une dépouille avant de plonger. La dépouille de qui? J'ouvris la lettre avec une émotion théâtrale. C'était un faire-part. Les trois employés

9

étaient suspendus à mon geste. J'annonçai à haute voix:

— C'est la dernière lettre que je reçois d'Italie. Pietro vient de mourir. Ma voix avait un accent dramatique. Deux jeunes filles tournèrent vers moi un regard curieux. J'entendis qu'elles questionnaient à mi-voix le commis en attente, penché sur le comptoir.

— Elle correspondait avec un Italien, dit-il avec une inflexion émue. Depuis quarante ans, vous vous rendez compte?

— Depuis quarante ans, c'est vrai?

Je confirmai l'indiscrétion du commis en inclinant la tête en direction des jeunes filles qui me regardaient maintenant avec étonnement et gravité. J'en ressentis aussitôt une impression délicieuse. La fidélité d'un homme devient facilement pour une femme synonyme de victoire. Victoire douteuse, triomphe ridicule s'il en fut. Mais je ne peux m'empêcher, pour une fois, d'en tirer avantage. Quarante ans, c'est vrai... murmurai-je. Ce fut comme une dernière gerbe de fleurs qu'on lance sur la scène avant que ne se ferme définitivement le rideau.

En fait, la mort de cet homme ne signifie plus pour moi que la fin de cette correspondance. Je répondais religieusement à sa lettre annuelle, c'est-à-dire que j'observais encore le culte sans plus m'interroger sur ma foi. Je ne peux t'envoyer de photo, je n'en ai pas, lui ai-je toujours écrit en réponse à son incessante demande. Pourquoi lui exhiber cette vieille femme que je regarde dans le miroir avec désolation alors que sur l'écran de mes souvenirs passent les peaux lisses, les yeux brillants et les bouches charnues de nos vingt ans. Sur le faire-part, sous son nom, il me semble voir cette jeunesse dont je gardais le souvenir tapi en moi comme un feu sous la cendre. La flamme s'éteint. Me voilà un peu plus démunie, c'est tout.

1908. J'avais seize ans. J'étais appuyée à la fenêtre de ma chambre à coucher, à l'étage de la maison paternelle. Le ciel était limpide, encore vibrant du passage des outardes, qui allaient vers le nord, alignées sur la pointe de leur formation. Elles allaient en jappant, meute déchaînée qui allume l'envie des chasseurs mais commande aussi leur respect. J'étais immobile comme une fleur en pot, l'âme rêveuse, l'oreille tendue vers l'écho de cette bruyante volée. Je me figeais dans une douce rêverie. Le passage des outardes m'attendrit toujours plus que de raison. Un bruit insolite éveilla mon attention. Une rumeur prenait vie. Un bruissement montait jusqu'à moi. Je me penchai, appuyai ma taille au rebord de la fenêtre et m'étirai le cou. Un groupe d'hommes coloré et grouillant m'apparut au détour d'un bosquet. Avant même de distinguer les visages, je pouvais identifier le peloton. Les voilà, les immigrants! J'en étais joyeuse comme de tout événement susceptible de rompre la monotonie de ma routine quotidienne. Nous étions prévenus de leur passage depuis longtemps. L'annonce de leur venue avait même perturbé notre vie collective. Elle excitait les uns, inquiétait les autres mais ne laissait personne indifférent puisqu'elle signifiait le prolongement du chemin de fer. Ils m'apparurent être une trentaine, formation disloquée qui, à l'encontre de celle des outardes, descendait vers le sud en suivant les lois de la misère plus que l'instinct de migration. Les immigrants se déplaçaient lentement en posant devant eux les traverses de bois et les bandes d'acier d'une voie ferrée qui commençait à Lévis et qu'ils devaient continuer jusqu'au lac des Anglais près de la frontière américaine.

J'avais appris les difficultés innombrables, les revers spectaculaires qui avaient précédé ce glorieux événement de l'arrivée du chemin de fer. C'était le

sujet de conversation préféré des hommes de la famille. Je savais que la première compagnie formée à
la suite d'une requête de Jean-Thomas Taschereau
en 1854 était à prédominance régionale et canadien-
ne-française. Elle était née d'un désir justifié mais
difficile à réaliser, malgré la ferveur de son promo-
teur Siméon Larochelle, un industriel progressiste de
Saint-Anselme. On glissait sur les prouesses financiè-
res, les tractations politiques qui avaient suivi la dé-
confiture de la première compagnie probablement
parce qu'on n'y comprenait pas grand-chose. Je n'ai
retenu que la digression véhémente de l'oncle Arthur
qui fustigeait Jérôme-B. Hulbert, cet entrepreneur
américain qui préconisait les rails de bois. Je trouvais
cette colère sublime de désintéressement, l'oncle
Arthur étant propriétaire d'immenses boisés.

En 1861, une nouvelle compagnie s'était formée.
Les trois seigneurs de la Beauce en étaient évidemment les directeurs, auxquels s'étaient associés les
quelques hommes entreprenants de la région dont
Louis-Napoléon Larochelle, le fils du précédent, aussi
entêté que son père à pourvoir la Beauce d'un chemin de fer qui relierait, entre eux, les villages importants. La compagnie Lévis et Kennebec étant en
mauvaise position financière, Larochelle, maître
d'œuvre de l'entreprise, eut l'idée de s'associer un
certain Charles Armstrong Scott, ingénieur. Ce serait
la clef anglaise pour forcer les coffres-forts de Londres! L'idée était astucieuse, le succès fut, en apparence, excellent. En 1875, arriva à Saint-Maxime de
Beauce, une locomotive, décorée comme l'étaient les
chevaux de boucher le jour précédant la fête de
Pâques. Elle sifflait triomphalement depuis Lévis et
tirait un convoi composé d'un char de première
classe, de cinq chars de seconde qui transportaient
ministres et notables et ces gens ordinaires qui réus-

12

sissent, par les combines habituelles, à être de la fête.
Mon père, lui, était sur le quai de la gare. Il nous a
souvent raconté l'événement. Sa voix tremblait toujours d'émotion.

Le triomphe de Larochelle fut de courte durée.
C'est Scott, l'associé anglais, qui accrocha son nom à
l'enseigne du village. Saint-Maxime devint Scott-
Junction. Larochelle y engloutit sa fortune personnelle, plusieurs années de sa vie et personne ne se
soucia de le souligner. Quand je passe à Scott-Junc-
tion, j'en suis encore honteuse. La compagnie cana-
dienne-française fut vendue à la criée en 1891 sur le
parvis de l'église Notre-Dame de Lévis. Une fois...
Deux fois... adjugée! cria le shérif de Québec à James
R. Woodward, de Sherbrooke. Et c'est ainsi que na-
quit le Quebec Central Railway qui ne compta plus
que des « directors » et des « officers ».

Cette compagnie déplaça en 1908 la voie ferrée
entre Vallée et Beauceville afin de la soustraire aux
dangers d'inondations. Et les engagés désormais furent des immigrants. Des Italiens pour la plupart,
nous le savions déjà. Nous avions d'eux une opinion
préconçue grâce à ces rares zouaves qui avaient eu
la bonne fortune d'arriver dans les États pontificaux
avant que ne se règle le conflit. Les Italiens étaient
tous Garibaldiens, nous affirmaient-ils catégoriques,
c'est-à-dire voleurs, lâches et anti-papistes! Ils nous
étaient donc fort suspects. Une défiance excessive
alerte toujours la sensibilité de l'étranger. Les immigrants ne s'arrêtèrent pas à proximité du village pour
y dresser leur camp. Ils l'installèrent dans la prairie,
à quelque cent pieds de notre ferme après avoir ob-
tenu de mon père une autorisation qui leur fut donnée d'une voix maussade et réticente. Heureusement,
sa curiosité naturelle l'avait emporté sur son appréhension.

14

À la fin du jour, on vit se dresser les cônes pointus des tentes et monter vers le firmament les écharpes blanches et molles des feux de camp qui passèrent du rose au pourpre selon la gamme du soleil couchant. Nous avions soupé à la sauvette et nous étions, mes frères, mes sœurs, mon père, ma mère et moi à nous bercer sur la galerie avec une indifférence affectée qui cachait mal notre excitation.

— Que c'est joli, s'exclama ma mère qui ne pouvait plus contrôler son enthousiasme.

— Ce soir n'oublie pas de verrouiller toutes les portes, trancha mon père pour couper court à cette effusion.

— L'Italie est un pays qui a produit de grands artistes, reprit ma mère d'un ton vibrant.

— Et de nombreux vauriens... Mon père allait continuer sur sa lancée quand subitement des notes prodigieuses crevèrent le calme de cette heure crépusculaire. Nous immobilisâmes nos berçantes dans un silence attentif. Une voix de soliste s'éleva de façon merveilleuse, supportée bientôt par un chœur qui nous figea de surprise et d'émoi. La polyphonie nous était révélée. Des chants aux accents imprévus et sublimes s'élevaient dans l'air limpide de ce soir d'été et coulaient jusqu'à nous. Nous étions fascinés, comme sous le coup d'un envoûtement. Par pruderie ou retenue, personne ne manifesta son émotion. Mais tous les soirs, sans en convenir, nous reprenions impatients et recueillis nos places sur la galerie.

C'est donc par la musique que ma famille, ordinairement si méfiante, se lia avec ces étrangers. Mais pour moi, c'était fait depuis le premier jour. Le plus jeune des travailleurs avait, d'un regard, effacé tous mes préjugés. Chargé d'approvisionner le camp en eau potable, il s'était présenté dès le premier matin à la porte de la cuisine portant des seaux immenses.

Par des gestes et un regard implorant, il demanda à les remplir comme s'il doutait de ma réponse alors que dès la première seconde je lui aurais donné le puits. Je lui prêtai un joug et le regardai aller, les épaules et les bras en balancier, glissant les pieds avec précaution et manifestant une bonne volonté qui me bouleversa.

Les jours suivants, nous nous sommes offert, comme des présents, quelques mots de nos langues respectives ce qui nous a permis de suspendre nos béats sourires. J'ai pu ainsi remarquer qu'une tristesse subite voilait quelquefois son regard. Ma compassion décupla mon ardeur. Un jour, je remarquai un accroc à sa chemise. — Donne, lui dis-je en désignant le contenant alors que mon cœur convoitait le contenu, c'est certain. J'ai fermé les yeux sur l'impétuosité de mon désir parce que je ne pouvais me soumettre à ses exigences. Mon éducation y avait prévu.

Le dimanche suivant, Pietro fut invité à monter dans la voiture familiale qui nous conduisait à l'église. Ma mère prenait ainsi notre amour naissant sous sa protection. J'essayai en vain de tromper sa vigilance. Je sentais inconsciemment que si je réussissais à être seule avec Pietro, il se produirait un événement extraordinaire que j'appréhendais et qui m'excitait en même temps. Durant la messe, au tintement de la clochette, quand j'entendais ces mots: Ceci est mon corps, ceci est mon sang, je rougissais de confusion comme si c'était moi qui s'offrait ainsi.

Pietro venait tous les soirs nous visiter. Il s'assoyait sur la rampe de la galerie et s'appuyait au poteau qui soutient le garde-soleil. Selon la densité de son regard ou la qualité du soir, j'oscillais entre le bien-être et l'extase. Les chants des travailleurs s'éteignaient en même temps que les feux de camp. Ma famille rentrait se coucher. Je descendais reconduire Pietro au pied de l'escalier mais sans sortir du halo de lumière projeté par le fanal que mon père avait eu la précaution de pendre au plafond de la galerie.

Le campement était maintenant intégré dans notre vie familiale. Mon père s'exclamait: Ah! ces Italiens, en souriant amicalement. La voie ferrée avait franchi le ruisseau des Castors et contourné le button qui la dérobait à notre vue sans que les immigrants ne manifestent l'intention de se rapprocher du lieu de leur travail. Ils préféraient notre voisinage... nous manifestaient-ils. Nous étions flattés de ce témoignage d'amitié mais nous n'en étions pas dupes. La vérité est souvent complexe. Ils se plaisaient près de nous c'est certain mais s'y attardaient pour une raison additionnelle, pensions-nous. Nous avions remarqué que, le soir venu, ils s'affairaient à un travail commun. Leurs chants d'ailleurs s'étaient modifiés. Ils n'étaient plus le moyen d'expression d'un soliste ou l'exaltation d'une âme collective; ils étaient devenus une trame sonore qui soutient des gestes ou rythme une tâche. De quelle nature était cette occupation? Nous l'ignorions. Après que nous eûmes épuisé toutes les hypothèses, je fus déléguée au camp. Les réponses confuses de Pietro n'avaient pu satisfaire la curiosité de ma famille. Les travailleurs me reçurent très bien et me montrèrent, avec beaucoup d'empressement, un ballon, un énorme ballon, fait de jute et de goudron, qui mesurait peut-être vingt pieds de diamètre et était étendu, informe sur l'herbe, au centre de l'enceinte formée par l'alignement des tentes. Leur enthousiasme me laissa perplexe. Je rendis compte de ma mission. Ils confectionnent un ballon, dis-je d'un ton ahuri. En fait, il était terminé puisque dès le lendemain les chants nocturnes retrouvèrent leur modalité des premiers jours. Les chœurs éclatèrent de nouveau en une brillante polyphonie. Ou bien, dans le silence du crépuscule, on entendait filer une note prodigieuse, parfaite, perlée, pure, qui me faisait frissonner d'émotion. Une semaine ainsi passa durant laquelle le ballon séchait. Et puis un soir, je m'en souviens si bien, dans un ciel mauve drapé de rose, on le vit s'élever. Il nous parut immense quoique encore mou, d'une forme qui s'arrondissait progressivement sous nos yeux. Il monta lentement, lentement, tendant les cordages qui l'attachaient au sol. Il était très haut; les gens du village l'aperçurent et accoururent aussitôt. Ils étaient intrigués. Ils tournèrent autour de l'étrange appareil, s'interrogeant entre eux en rigolant puis s'adressèrent aux Italiens qui annoncèrent, dans un excès de gestes, la nouvelle d'un lancement prochain. Les habitants s'en retournèrent moqueurs et incrédules mais revinrent, chaque fois plus nombreux, pour examiner ce singulier aéronef sous lequel brûlait chaque soir une meule de fagots. Le ballon bientôt fut une sphère parfaite, majestueuse et toute noire. La foule ne ricanait plus mais surveillait avec un intérêt croissant le déroulement de l'opération. Une fièvre s'était emparée des immigrants et Pietro était d'une fébrilité qui m'étonnait chaque jour davantage. Un soir, après un palabre passionné, il fut décidé que le ballon était prêt pour le lancement; il suffisait d'attendre que le temps fût propice. Quelques jours passèrent avant qu'un début de soirée ne présentât les conditions requises: un ciel clair, un air transparent et mobile. Les feux furent allumés. Comme ils étaient plus importants que d'habitude, la fumée plus dense répandit aussitôt la nouvelle. En un rien de temps, les villageois et les habitants des rangs avoisinants étaient accourus à travers champs.

Pendant que quelques-uns des Italiens entretenaient sous le ballon une combustion constante, d'autres montaient sur des tonneaux pour ausculter la toile. Plus l'air à l'intérieur de l'énorme sphère se réchauffait, plus se tendaient les cordages fixés au sol. Par moments, on entendait des craquements alarmants et des grincements sinistres. Les hommes montaient de nouveau sur les tonneaux, collaient l'oreille à la paroi du ballon et sautaient sur le sol. Une discussion générale s'ensuivait, une discussion véhémente et exaltée sur l'état probable de l'air intérieur: il devait être assez dense pour propulser la nacelle sans pour autant risquer de la faire éclater.

Après un décisif débat, il apparut par le calme qui s'ensuivit, qu'on avait fait l'unanimité. Les immigrants s'immobilisèrent en cercle autour de la montgolfière pendant que la foule respectueuse se rangeait en retrait. Le spectacle était grandiose, les témoins, subjugués. Les flammes rouges, courtes mais intenses grouillaient parmi les braises et projetaient sur l'assistance des lueurs théâtrales. Je m'étais avancée discrètement et me tenais un peu en recul, près de Pietro. La fièvre était telle que plus personne ne bougeait. Je sentais, me semble-t-il, la présence invisible mais perceptible du mystère qui allait se jouer sous nos yeux. Sans qu'un mot ne fût prononcé mais certain de l'assentiment général, le plus âgé des Italiens sortit du cercle. Il s'avança religieusement vers l'un des cordages en affilant un long couteau. De temps à autre il s'arrêtait pour passer son pouce sur l'arête de la lame qui luisait des éclats vermeils du feu. Puis il jeta sa pierre d'émeri par dessus son épaule, leva le couteau à bout de bras, demeura ainsi immobile dans cette saisissante position, poussa enfin un cri terrible et s'élança en coupant un à un les cordages qui se rompirent dans une longue et lugubre vibration. Le bouleversement des Italiens était si émouvant que je retenais difficilement mes sanglots.

19

Le dernier cordage rompu, le ballon fit un bond immense. On entendit des cris hystériques, des éclats de rire et des lamentations suivis d'un silence absolu, comme si on avait subitement emmuré un délire.

La montgolfière continuait son ascension, perdant peu à peu sa dimension première. Elle devint un disque noir qui doucement dériva vers le sud, prêt à franchir les Alléghanys, puis l'océan puisque le but ultime de sa trajectoire, c'était l'Italie. Le ballon suivait l'axe prévu, s'amenuisant peu à peu tout au long de cette trajectoire qui se terminait par un invisible fil d'espoir. Il était devenu un point noir qui allait disparaître quand éclata un chant d'une douleur intolérable. Je me penchai pour observer Pietro, espérant que cette affliction ne le concernait pas. Il se tenait immobile, le regard tendu, et son beau visage ruisselait de larmes. Cette détresse scellait mon sort. Pietro s'envolerait lui aussi un jour, j'en avais la fulgurante révélation. Dans le silence dramatique qui se prolongea après la disparition du ballon, on entendit des sanglots déchirants. Les habitants, peu habitués à des débordements aussi excessifs, disparurent dans la nuit silencieusement.

Pietro revint à la maison dans les soirées qui suivirent mais chaque heure désormais était la dernière d'un amour condamné. Il me parlait d'une voix lasse et triste. Les mots que nous savions en commun ne nous étaient plus d'aucune utilité. Je m'imprégnais de lui douloureusement et sans espoir.

Une fin d'après-midi, les immigrants ont levé le camp et sont disparus en suivant la courbe de la rivière. Je n'ai jamais revu Pietro. Un jour, la locomotive est passée, toute pavoisée, inaugurant la nouvelle voie ferrée. Elle alluma en moi une lueur d'espoir. Sans raison, ni résultat. J'ai guetté en vain tous les passages du train jusqu'au jour où le maître de poste m'annonça joyeusement pensant me faire plaisir: « Marie, tu as reçu une lettre d'Italie! »

J'ai enterré cet amour et j'ai déposé tous les ans sur sa tombe les lettres de Pietro comme autant de bouquets de myosotis. Je veux mourir en regardant monter le soleil pour revoir une dernière fois son visage tout inondé de larmes et entendre de nouveau le chant déchirant des immigrants. Tout en moi se confondra. Je laisserai la vie en suivant la trajectoire illusoire d'un ballon.

La soirée manquée

Elle entra dans le hall violemment éclairé du vaste théâtre et alla docilement prendre place à l'extrémité de la file, dernier chaînon de cet énorme vertébré qui grouillait en direction de la porte de l'amphithéâtre où il disparaissait par tranches successives. Elle n'avait qu'à se laisser porter, pensa-t-elle, fraction de cet interminable train que le portier, tout habillé de rouge, avait mis en mouvement quelques minutes auparavant et qu'elle voyait en entier dans le miroir qui tapissait un pan de mur au bas de l'escalier conduisant aux loges du balcon. Elle remarqua en même temps que son tailleur était élégant et qu'elle avait bien fait de changer sa coiffure; celle-ci, plus souple, plus naturelle, la rajeunissait certainement. Elle se sourit du fond de la glace. Rassurée et satisfaite d'elle-même, elle observa avec attention et commisération peut-être la foule qui grossissait dans le hall d'entrée, foule morcelée en plusieurs éléments. Il y avait ceux qui se pressaient impatients au guichet pour enlever les derniers billets, d'autres qui attendaient, avec un air blasé, qu'arrive l'éventuel compagnon ou compagne, des habitués qui ordonnent leur existence selon un horaire serré et précis, résultat de multiples expériences. Et les autres, encore émerveillés de s'être offert cette soirée, eux qui viennent rarement au théâtre dans la peur d'y retrouver la grisaille de leur vie quotidienne, leurs doutes, leurs inquiétudes. Mais venir entendre ce comique français, spécialisé dans le calembour et les histoires lestes, quelle perspective joyeuse! Quelle situation inquiétante et incertaine aussi. Allait-elle prendre le risque de laisser son manteau de fourrure au vestiaire? Ce manteau qui ajoutait à son rôle fonctionnel cette aura de rêve réalisé. Et cette jeune femme rougissante au bras de son compagnon vêtu d'une chemise voyante et d'un costume à carreaux... Elle s'était cousu elle-même, c'était évident, cette robe longue copiée dans la revue *Elle,* ce magazine qui impose discrètement aux femmes libérées l'uniforme de la mode. Après tant d'efforts et de soirées passées à la confection de cette robe, elle n'était plus très sûre de son choix. Confrontée à toutes ces jeunes femmes désinvoltes et délurées qu'elle remarquait autour d'elle, elle doutait, c'était apparent, de la réussite de sa toilette. Elle imposait à ses lèvres le sourire approprié, complément obligatoire de cette extraordinaire soirée, mais le cou de la jeune femme était semé des plaques roses de la confusion. Que cela était intéressant d'observer une foule, non pas dans son ensemble informe et imprécis mais dans chacun de ses détails disparates et surprenants que sont les individus, pensait Irène, satisfaite de se trouver là, dans cette promiscuité qu'en temps ordinaire elle abhorrait, contente de la perspective de ces deux heures à rire, de bon cœur, simplement, en compagnie de tous ces gens qui s'étaient réunis dans cette intention.

— Je vais à Montréal pour siéger au conseil d'administration de ma compagnie, je t'emmène, lui avait dit son mari avec cette tendresse autoritaire qui le caractérisait... Je t'ai même fait acheter un billet pour le

23

spectacle de Fernand Renault. Je te déposerai à la porte du théâtre, te reprendrai à la fin du spectacle... Le premier libre attend l'autre à la droite du hall près de l'entrée. Tu me répéteras les bons gags et j'aurai l'impression de les avoir entendus moi-même...

Ce qu'il est adorable, avait-elle songé, en acceptant avec une exaltation tout à fait sincère ce voyage qui en fait lui était indifférent. Comment n'aurait-elle pas été comblée d'avoir un compagnon si attentif, si plein de tendresse à son endroit? Et lui était enchanté de provoquer si facilement cet enthousiasme, ce débordement subit qui la faisait sur-le-champ rajeunir de dix ans. Mais il n'arrivait pas à comprendre comment un plaisir si spontané, si explosif, souvent s'amenuisait tout au long du voyage pour s'évanouir quelquefois sans qu'il en reste la moindre étincelle.

— Je suis née solitaire comme d'autres naissent infirmes, avouait-elle simplement quand le regard interrogateur de son mari devenait agressif. Comment expliquer autrement cet ennui profond qui l'envahissait soudainement en pleine soirée alors qu'elle éprouvait une satisfaction, un contentement exagéré sans doute, pour des choses toutes simples... comme lever un oiseau inconnu au bout de ses jumelles, faire une promenade sans but le long d'une rivière en cascade ou commencer une conversation avec les gens ordinaires de sa vie quotidienne. « Tu retournerais facilement à l'état sauvage, disait son compagnon en ajoutant aussitôt: c'est ton droit puisque c'est ton désir mais moi je dois vivre autrement, je dois satisfaire d'autres besoins, rencontrer des personnes qui rient beaucoup, parlent avec volubilité, s'exclament, s'indignent, s'interrogent. » Et il a raison, approuvait-elle aussitôt, il est absolument nécessaire de converser avec des personnes intelligentes ou simplement agréables à regarder, de recueillir des réflexions sensées, des méchancetés aussi, des mensonges compliqués pour réaliser que les êtres existent ailleurs que dans les livres.

Voilà qu'elle approchait du portier, son ticket à la main, détendue et calme, quand un homme, pour briser cette file vraisemblablement soudée, la choisit elle comme élément vulnérable, pressentant, c'était évident, qu'elle n'offrirait aucune résistance. Il la bouscula, la repoussa pour glisser son personnage odieux juste en avant d'elle malgré les commentaires désagréables et les sifflements qui montaient tout autour. Et elle ne broncha ni d'un geste ni d'un mot comme si elle n'était pas consciente de l'incident qui venait d'arriver, paralysée de timidité, obnubilée subitement par le sentiment qu'elle avait soudainement d'être faible, sans aucune possibilité de réagir, de défendre un droit qu'elle reniait par le fait même à tous les autres. Une immense détresse l'envahit aussitôt. La foule qui tout à l'heure l'immergeait dans une douceur animale lui apparut comme une force hostile. Et ce fut la déroute, la débandade appréhendée. Cette façon imprévisible, incontrôlable, cette manière illogique de réagir me sape d'un seul coup mon assurance et me laisse complètement démunie, s'avoua-t-elle pour la millième fois de sa vie. Cette volonté en lambeaux pour un rien, cette âme écorchée pour une insignifiance, un mot ambigu, un geste mal interprété, voilà autant de réalités qu'il lui fallait accepter comme on accepte des infirmités ou une déficience mentale, pensa-t-elle, en pénétrant, son tour venu, à l'intérieur de l'amphithéâtre. Elle venait de retrouver, se dit-elle, résignée, sa pauvre nature, molle, triste, qui n'eût sans doute jamais demandé à vivre si on lui eût donné l'opportunité de choisir.

Quand elle fut bien installée dans son fauteuil du parterre, elle crut, un instant, qu'elle pourrait retrouver la satisfaction d'être là; l'ambiance était légère, détendue, l'assistance disponible et confiante. Qu'il paraisse au plus vite, ce comédien à succès, pour que, se livrant à lui, elle se libère d'elle-même, de cette angoisse incompréhensible, irrationnelle et intolérable. Le rideau se leva bientôt et la vedette parut, une vedette crispée, au bord de la panique. Puis, avec un courage pathétique, mu par une volonté évidente de réussir, tout recul étant suicidaire, le comédien reprit en main la situation. Il desserra des nœuds, récupéra son souffle, replaça son cœur au bon endroit, ouvrit la bouche: bonsoir mesdames, messieurs et ne la referma plus. Les portes de l'écluse demeurèrent béantes; les gags s'y bousculaient. La foule, au début surprise, en retenait quelques-uns, laissait passer les autres, puis son rythme perceptif s'accéléra, bientôt elle les releva tous. Elle les transformait sur-le-champ en rire et les retournait ainsi à l'artiste. Ce dernier, stimulé, élevait la voix, donnait de l'ampleur à ses gestes. Les rires maintenant étaient devenus une masse continue, immense, monstrueuse. Le rire est contagieux, pensa Irène, comme le feu et les épidémies. Mais malheureusement, elle était immunisée et ininflammable. Plus elle s'efforçait de participer à cette joie collective, plus elle s'en sentait exclue. Elle essayait en vain de piquer sa petite fleur bleue dans cette énorme gerbe multicolore. Malgré les efforts inouïs qu'elle fit pour accrocher un mot comique — un seul aurait suffi peut-être pour rire très fort, à gorge déployée, comme ses deux voisins de fauteuil — rien ne se produisit, pas la moindre étincelle de gaieté ni le plus minime frémissement de joie. Cet homme m'ennuie au-delà du seuil acceptable, au-delà de la politesse et de la bonne volonté, conclut-elle avec un sentiment aigu de culpabilité. Se pouvait-il que de tout le bataillon, elle fût la seule à prendre le pas? Fautive elle

26

était. Non pas ce pauvre artiste qui s'exténuait à faire rire une foule qui était venue spécialement pour pratiquer cette thérapeutique et qui, en toute innocence et logique, y réussissait au-delà de toute espérance. Irène, figée dans son fauteuil, après s'être donné raison de trouver les blagues éculées, les mots éventés et les situations prévues, jugea qu'elle était méprisable à la fin d'être méprisante, de n'avoir aucun talent pour s'amuser en société et pour se camoufler cette vérité affligeante: elle s'ennuyait prodigieusement.

Voilà ce qu'elle ne pouvait avouer à son mari Olivier qui l'attendait à la sortie et la retrouva avec un soulagement attendri comme s'il avait pressenti cette situation pénible où elle s'était trouvée.

— Tu t'es bien amusée?

— Oui, oui, je me suis bien amusée, ce devait être très drôle, les gens riaient tellement que j'en perdais beaucoup mais en fait, je crois que c'était très drôle.

Il la regarda, incrédule puis stupéfait.

— Mais en fait, toi, toi, tu as ri?

— Bien sûr.

Comment pouvait-elle lui avouer qu'elle avait failli mourir d'ennui... c'était impossible et si injuste pour lui qui s'était donné la peine de lui organiser cette soirée. Pour lui prouver sa tendresse et sa reconnaissance, elle allait lui répéter ce calembour concernant le général de Gaulle, qu'elle avait heureusement retenu. Tout alla très bien sauf qu'à la fin, quand arriva le moment de placer le mot clef qui bouscule tous les autres, donne dans l'éclairage final le côté désopilant de la sublime chose, elle bafouilla, ne sachant plus très bien où il fallait l'insérer ce mot poutre-maîtresse qui soutient tout le calembour. Elle recommença le récit, s'embourba un peu plus puis subitement s'arrêta de parler sans finir son propos.

Il la regarda plus attentivement, subitement conciliant et résigné.

— Je n'arriverai jamais à te comprendre, dit-il tendrement. Elle se laissa glisser doucement dans une fatalité triste et réconfortante à la fois.

— Me comprendre n'est pas important, dit-elle humblement, je n'y arrive pas moi-même. Tu y arrives, toi?

— Moi, je fais comme tout le monde. Je ne me pose pas de questions. J'agis, c'est tout. Je ne vais pas courir le risque de me rendre fou!

Il éclata de rire, du rire ambigu dc l'humanité tout entière.

Les Parques

Elles vivent sous le même toit. Une veuve, une épouse et une vierge. Elles représentent trois générations successives et illustrent en même temps les trois phases d'une vie, le veuvage des femmes étant devenu tout à fait régulier depuis que les hommes pratiquent le stress comme si c'était un sport. Elles sont pâles, émaciées. Leur regard brille et leur sourire est mystérieux, indéfinissable comme celui de la démence. Elles sont assujetties l'une à l'autre, prisonnières d'une fonction commune, prêtresses d'un même culte, celui qu'elles rendent à un mort: le défunt mari de la plus vieille femme.

Leur vaste maison est blanche, modeste, blottie sous d'immenses peupliers, ces arbres vulgaires qui compensent leur peu d'esthétisme par une vigueur précoce et rassurante. Ils sont les premiers, au printemps, à offrir l'ombre, la brise et le chant des oiseaux. S'ils vieillissent mal et meurent prématurément, ils croissent avec une rapidité et une prolifération qui incite à l'optimisme. Nous nous sommes arrêtés devant la maison, émerveillés de la gaieté exubérante du décor, écran mouvant qui bruissait des cris d'oiseaux. Nous nous sommes dirigés vers la porte d'entrée sans méfiance, poussés par ce désir

29

que nous avions de trouver un moule à goudrilles. Une fois à l'intérieur, nous nous sommes amusés, au début, de l'extravagance inhabituelle, du délire de la 'décoration. Des objets hétéroclites, étranges et farfelus recouvraient les murs, les meubles et une partie du plancher. Nos regards, un instant confondus, bientôt départagèrent les choses. De minuscules arbustes attirèrent, de prime abord, notre attention. Ils avaient de multiples branches recouvertes de franges en fil de soie, des franges roses, jaunes, palpitantes qui me rappelèrent les parures anciennes des danseuses de cabarets. Chacune des branches était piquée de minuscules chapeaux aux couleurs variées. Ils étaient aussi minimes qu'innombrables. Leur nombre ajouté à la répétition inlassable de leur forme identique créa aussitôt le rythme d'un climat hallucinant.

Des sculptures aussi nous sautèrent aux yeux. Elles procédaient d'ossements de bêtes que les femmes récupèrent aux temps des boucheries. Des os blanchis qui, selon leur forme ou leurs proportions, servent de support, d'écrin ou de composante. Un oiseau sculpté niche au creux d'une clavicule. Un curé prêche du haut d'une rotule. Un drapeau est hissé au bout d'un tibia et une église s'invente une architecture à partir des courbes douces d'un bassin de veau. Je m'exclame à tout hasard ne sachant plus très bien si je suis ravie ou stupéfaite. Bientôt les objets s'estompent, glissent doucement au rang des accessoires. Comme si, pendant que nos regards les inventoriaient, de multiples rideaux s'étaient ouverts subrepticement, dévoilant subitement, sur tous les murs, sur tous les meubles, les variations infinies d'un thème unique: l'évocation d'un mort. Les photos apparaissent partout à la fois. Sur l'une, on le voit de face. Sur l'autre, de profil. Très précis, en médaillon. Plus flou dans les agrandissements excessifs. Guindé dans la photo de son mariage, glorieux devant un camp, sa hache de bûcheron à la main. Fièrement endimanché lors de la communion solennelle de sa fille. Debout, fanfaron, sur l'estacade de pitoune lors de la dernière drave sur la rivière Chaudière. Le voilà, amaigri, qui se berce sur la galerie. Puis, vaincu, qui repose dans son cercueil. Lequel est reproduit, dimensions réduites, en planches de sapin. Tapissé de satin blanc, il est posé sur le divan en peluche rouge du salon. Le défunt, en effigie, y est couché. Sa pipe nouée d'un ruban noir est dans le cendrier. Son épingle à cravate, sertie de soie mauve, sur l'accoudoir du fauteuil où j'allais poser la main. Pardon, ai-je murmuré sottement dans un étranglement de la voix. La table à café est devenue un lot du cimetière miniaturé avec épitaphe, pierre tombale et couronnes mortuaires. Que vous baissiez, leviez ou tourniez le regard, le défunt est là, réduit ou agrandi, encadré de fleurs séchées ou de coquillages, bordé de satin noir ou de velours violet. Il est beau et fort, répète la vieille femme pour la cinquième fois. Cette affirmation faite au présent rend l'atmosphère oppressante et accentue l'attitude ambiguë de cette veuve singulière. Elle est grande, sèche comme un copeau, austère et rigoureuse sous ses bandeaux de cheveux blancs. Jusqu'au moment où nous passons derrière elle dans sa chambre à coucher. Un changement subit s'opère sous nos yeux. Son attitude rigoriste se dilue peu à peu, sa volonté devient molle, prête à tous les compromis. Elle s'approche du lit, nous désigne une courtepointe de fourrure et nous annonce, impudente et enflammée, qu'elle l'a taillée dans le manteau de son mari, garnie des morceaux de son bonnet, de ses mitaines et bordée de laizes taillées dans ses chemises. Elle parle d'une voix sourde en caressant la couverture, du plat

31

et du revers de sa longue et diaphane main. Par inadvertance ou par curiosité, quelqu'un soulève la courtepointe pliée en deux sur le pied du lit. Sous la couverture est étendu un manteau de femme entrouvert. Mon compagnon fait: oh! avec une intonation incertaine qui hésite entre l'étonnement, la confusion ou la salacité. La vieille dame nous interroge du regard, plus étonnée qu'inquiète. Elle flatte toujours la couverture de fourrure avec un attendrissement voluptueux et nous dit simplement en guise d'explication: « Je dors dans ce lit. » Sur la table de chevet, un globe de verre recouvre un simulacre de gâteau de noces. Une main de femme et une main d'homme, l'une couvrant l'autre, y tiennent un couteau.

Depuis quinze ans, la veuve monte la garde à l'entrée du tombeau, son flambeau allumé à la main. C'est elle qui a retenu la camarde à l'intérieur de cette maison et la mort s'y est insinuée partout, dans tous les coins et replis. Elle recouvre tout, comme ces lierres prolifiques et touffus sous lesquels disparaissent les murs des maisons. Vignes épaisses qui se transforment en murs vivants, qui palpitent et respirent. Ainsi en est-il à l'intérieur de cette maison blanche. Nous sentons la présence de la mort. Nous contrôlons à peine notre vertige et l'angoisse qui nous envahit toujours en pareille occasion. Nous voilà quand même cédant à la fascination de cette mort incarnée, présente, presque palpable nous semble-t-il. Nous la sentons qui nous frôle et repère en nous la victime désignée par l'implacable fatalité.

Pour échapper à un désarroi qui devenait insupportable, nous avons, d'un tacite accord, concentré notre attention sur la présence de la jeune fille, espérant comme toujours, de la jeunesse, quelques rejaillissements salutaires. La fille a vingt ans, un air effacé, docile, un corps, sans chair. Elle ressemble à une jeune novice qui n'assume pas encore sa vocation, mais ressent son appel, s'y prépare, attentive et soucieuse, comme sous le joug d'une fatale destinée. En attendant que sa mère et sa grand-mère lui choisissent un mari, elle s'occupe à broder et à tisser. Inclinée sur son travail, concentrée et fervente, elle transforme, sous nos yeux, en imagerie naïve et romantique, ses phantasmes personnels. Elle nous montre aussi les tapis qu'elle a crochetés. Ils sont couverts d'oiseaux bleus, des oiseaux mythiques qui semblent prêts à s'envoler. Le comportement obsessionnel de la jeune fille n'est pas rassurant. Comme dernier recours, il nous reste à reporter notre intérêt vers sa mère, une femme dans la quarantaine aux yeux bleus, transparents, en forme d'amande. Des yeux qui nous interrogent, avides et étonnés puis s'obscurcissent subitement. De refus et de haine. De toute évidence, elle lutte pour échapper à l'emprise de sa propre mère. Elle porte une robe d'un rouge éteint. Une dentelle ferme son encolure à la hauteur du menton. Des poignets étroits et longs laissent, comme à regret, apparaître des mains fines dont on devine tous les os. Elle essaie, c'est certain, de se soustraire au rôle qui lui échoira: celui de reprendre le macabre flambeau quand il tombera des mains maternelles. Malgré son corps de fillette impubère, sa robe intemporelle, une passion habite cette femme, sentons-nous, une passion affolée. Comme une mouche ou un papillon qui s'abat contre la vitre ou l'abat-jour et se débat dans un bourdonnement incessant qui emplit le silence de la maison et ne s'arrête qu'avec la fin de l'interminable agonie. Elle lutte obscurément, avec héroïsme, en se servant comme palliatif du moyen le plus accessible: l'écriture. Elle y consacre, nous avoue-t-elle, une partie de ses nuits. Elle transpose en chants poétiques ses tourments, son angoisse, ce délire ambiant, cette présence affreuse qui recouvre tout comme une glu. Elle essaie, avec une attendrissante volonté, de rendre sa vie plus acceptable en la glorifiant. Elle métamorphose les êtres qui l'entourent, inverse ses regrets en désirs. Elle approche, me semble-t-il, d'une certaine libération en transmuant sa détresse en exaltation, en sublimant la vie. J'en conviens facilement, n'en pouvant plus de subir ce climat oppressant. Au moment où je vais éprouver enfin un moment de détente, je découvre la présence de son mari. Il est entré furtivement, sous le coup de l'angélus, pour le repas. Nous ne l'avions ni entendu ni vu arriver. Il s'est assis discrètement sur une petite chaise droite sous la pente inclinée de l'escalier. Il ne bouge pas. Les mains posées sur ses genoux, il tient son regard baissé. Aucune des trois femmes n'a paru s'apercevoir ni se soucier de cette présence qui devient, sur-le-champ, intolérable. L'attitude résignée de cet homme, héros désigné pour le culte funéraire, redonne à l'ambiance générale toute sa morbidité. L'instinct immuable de survie nous envahit aussitôt et nous commande de précipiter notre départ.

Nous sortons de la maison, descendons l'escalier rapidement. Pour une dernière civilité, je me retourne. Elles sont toutes les trois, l'une près de l'autre, debout sur la galerie. Je sens en moi remuer l'angoisse universelle. La vierge me sourit innocente et triste. L'épouse, le regard éclairé des dernières flambées de sa révolte, semble déjà soumise. La vieille, impitoyable, a un regard sinistre, implacable qui me pénètre jusqu'aux os. Nos âmes s'affolent. Nous courons vers la voiture. J'entends, je le jure, le cliquetis de nos squelettes.

34

Sophie Lagrange
et les demoiselles Taylor

Dans cette vaste Beauce québécoise du dix-neuvième siècle, les noyaux anglophones de Saint-Sylvestre et de Frampton naquirent d'un besoin urgent; celui de répondre aux exigences d'une immigration subite et excessive d'Irlandais faméliques. Le fief de Cumberland fut constitué différemment. Ses propriétaires successifs, tous marchands anglais, recrutèrent les colons aussi bien en Écosse et en Angleterre qu'en Irlande.

Ce fief concédé en 1782, qui confine aux seigneuries Aubin de l'Isle et Rigaud de Vaudreuil, échut en 1823 à Edward Hartbottle. Ce dernier, en plus de trafiquer les avantages de son titre, vint s'établir dans son domaine pour y pratiquer, avec succès, l'art d'être seigneur. Il y mourut aussi de noble manière. Le fief fut racheté en 1867 par un neveu du défunt: Edward Hartbottle Taylor. Il vint y perpétuer les coutumes, les usages qui firent de cette région, pendant plus d'un siècle, une enclave étrangère, mystérieuse et suspecte.

Elle commença de faire brèche au début du siècle avant d'être envahie puis complètement occupée par la population limitrophe. Ce coin de Beauce ressemble à un vieux tableau impressionniste écaillé dont les parties intactes seraient encore assez nombreuses pour recouvrir l'ambiance singulière, le climat particulier de la toile originelle. Avec un peu d'attention, on perçoit de nouveau le charme poétique des jardins anglais, ces petits parcs savamment planifiés ou la magnificence et la profusion semblent être le seul résultat de l'exubérance de la nature. David Gosselin en est ravi puisqu'il déteste les jardins à la française où les arbres sont taillés à la manière des caniches. Ce jeune homme vigilant a la rare habitude d'observer les êtres et les choses plutôt que de les effleurer. Ainsi, il remarque les changements subtils mais continus de l'environnement à mesure qu'il s'éloigne de l'harmonieuse Vallée de la Chaudière. La route monte doucement en traversant des champs qui s'appauvrissent peu à peu, se dénudent bientôt puis se couvrent de plantes sauvages, d'arbres rabougris comme si le chemin devait franchir un lieu interdit, austère et dramatique avant de pénétrer dans un autre monde. David Gosselin le découvre avec émotion puisqu'il correspond justement à celui qu'il a imaginé pour y situer les récits dramatiques dont quelques vieillards nostalgiques l'ont entretenu. Le décor s'est modifié. Les maisons s'abritent au creux d'un vallon, sous le couvert d'un bosquet, s'estompent dans la grisaille de leur déclin de bois non peinturé. Quelques-unes semblent avoir glissé du coteau, jusqu'au pied de la pente, suivies de leurs dépendances et des bâtiments de ferme. Rien ne rappelle la structure précise des seigneuries voisines, sensibles à une beauté conçue par la logique et la tradition. Au lieu d'installer sa demeure en bordure du rang, le colon anglophone l'a construite près d'une source, ou d'un ruisseau, sous la ramure des arbres qu'il vénère. Et

David Gosselin, impressionné par la mélancolique et capricieuse beauté de cette région, se félicite déjà d'avoir cédé à sa curiosité et entrepris cette randonnée. Il oublie le but un peu morbide de cette excursion: découvrir les lieux qui servirent de décor aux événements tragiques et aux drames familiaux. Le voilà, au contraire, exalté à l'idée de les retrouver; en commençant par ce puits où s'est jetée une fiancée au matin de ses noces! Il l'imagine si bien, flottant à la surface de l'eau, nimbée de son voile de mariée... une dentelle qui s'imbibe peu à peu ainsi que la couronne de fleurs d'oranger. Et le bouquet de roses blanches qu'elle tient encore dans sa mince main livide... Un dénouement aussi radical éclaire la réalité historique, médite le jeune homme. Dans un milieu très fermé, le choix d'un prétendant dépend plus de la volonté des parents que du cœur des jeunes filles. Et ce monde, clos sur lui-même, distillait inévitablement les ferments nécessaires aux crimes passionnels dont les récits l'ont tant ému... David, qui approche maintenant du but premier de sa promenade, cède à une sensation étrange. Il lui semble que les lieux sont soudainement habités. C'est cette ambiance romanesque qui lui procure, sans doute, la hardiesse requise pour arrêter devant le manoir seigneurial. Il monte les marches du perron et frappe à la porte des demoiselles Taylor, survivantes bizarres d'une époque révolue.

À cinq cents pieds derrière la demeure, au faîte d'un promontoire ombragé de pins centenaires et de bouleaux gigantesques, David aperçoit le temple St. James. Mitaine austère, aux lignes pures, en pierres des champs, elle s'entoure d'un cimetière parfaitement entretenu. Tout autour des épitaphes, l'air ondule, se brouille, constate le jeune homme dans un énervement qui n'est pas exempt de complaisance.

Il suffirait, pense-t-il, que la brume tende le décor, que son pouvoir d'évocation augmente un peu son voltage pour qu'apparaisse, drapée dans un linceul, Sophie Lagrange. Sophie Lagrange, cette tante légendaire qui fut répudiée de sa famille, bannie de son village natal pour avoir épousé un Frank Taylor anglophone et protestant. L'ostracisme eut heureusement, dans ce cas précis, l'élégance de frapper simultanément les deux parties. Frank Taylor encourut l'anathème des siens qui consignèrent au Livre d'or l'unique mésalliance de leur famille. C'est le souvenir tenace de cette tante humiliée qui a éveillé l'intérêt de David pour la seigneuriale famille. Il veut y entendre prononcer le nom de sa tante. Une seule fois suffirait, pense-t-il, pour effacer une rancune qu'il juge excessive et ridicule. Il frappe à la porte avec beaucoup d'assurance, convaincu que son prétexte est excellent. La porte s'ouvre, encadre une vieille femme qui s'immobilise, surprise et hostile. Le jeune homme fait un pas, déférent, sa coiffure à la main malgré l'air glacial de l'automne. Il explique avec une politesse surannée, qu'il s'est arrêté en souvenir de sa grand-mère irlandaise, Mary Whiler... Elle lui a si souvent, de son vivant, parlé des demoiselles de Cumberland qu'il n'a pu résister au plaisir d'arrêter les saluer... Mademoiselle Taylor observe le jeune homme avec circonspection. Se pourrait-il que sa grand-mère les eût connues au célèbre pensionnat de Bellevue?... questionne David, doucereux. La deuxième demoiselle Taylor avance la tête au-dessus de l'épaule de la première: « *Mary Whiler was your grand-mother?* » s'exclame-t-elle, déjà presque rassurée. « *Come in* », ajoute la première, polie mais réticente. David Gosselin accepte avec empressement et une volubilité qui souligne l'étendue de son vocabulaire anglais. La suspicion des deux femmes se change aussitôt en enthousiasme. L'unilinguisme entêté des demoiselles Taylor, dernières anglophones de la région, a eu l'inconvénient de les isoler aussi radicalement que si elles se fussent enfermées dans une tour.

Les voilà qui babillent, jacassent comme des oiseaux énervés de voir s'ouvrir la porte de leur cage. Non, elles ne sont pas allées au pensionnat de Bellevue... Elles évoquent comme raison de cette abstention les études de leurs frères... la maladie de leur mère... en fait, des raisons ne les concernant pas directement mais qui étaient suffisantes à cette époque pour décider de l'avenir des jeunes filles. Non... elles n'ont pas connu Mary Whiler... mais le ministre anglican de Frampton en parlait avec tant d'éloges... une femme si distinguée!... Les voilà surexcitées qui trottinent vers le salon puis offrent à ce jeune homme — dont la grand-mère irlandaise était si distinguée — le fauteuil de peluche prune parsemé de carrés de dentelle ainsi que tous les sièges de cet appartement hétéroclite. On dirait que les meubles proviennent de naufrages successifs et qu'une dernière vague les a recouverts de dentelle. Des photos innombrables garnissent aussi le salon. Le piano, les guéridons, la longue et fine table centrale, le tablier des cheminées, les murs en sont couverts. Des photos touchantes, encadrées de velours, de dorure patinée. Quelques-unes récentes sont plus banales dans leur carton commercial. Voici la photo du mariage de Kathleen, commentent les demoiselles. Là, celui de Suzan qui vit à Toronto... Mary, de Québec... Les descendantes de la lignée directe ou collatérale continuent à venir célébrer leur mariage ici, proclament-elles en désignant le temple qui se découpe sur le pan de ciel qu'encadre une des fenêtres.

Dans l'inventaire qu'elles font des invités alignés

sur les photos, revient comme un leitmotiv, le nom du *Dean*. Elles le prononcent avec une inflexion dans la voix, un accent candide de vénération. Il est là, près de l'église... Il est sur la première rangée... dans le chœur... ici... là... Elles se passent l'*archdeacon* avec une ferveur ridicule. Elles ont le comportement des femmes frustrées par le mariage, qui reportent sur leur confesseur une passion déçue, en retrouvent ainsi une nouvelle qui est inoffensive, sécurisante, exaltante, délectations comprises. Quand mademoiselle Taylor I évoque l'*archdeacon*, il est plutôt de stature normale, énonce des phrases grandiloquentes mais banales. Au contraire, quand mademoiselle Taylor II accroche la conversation comme on saisit un câble en mouvement, le *Dean* se transforme en personnage extravagant. Elle le cite avec une exaltation, un émerveillement qui subliment le rôle du ministre anglican et transcendent les cérémonies évoquées. Comment dégager la vérité de la magie des mots? pense David. Le lapin varie selon la dimension du chapeau des magiciens! Enfin, la situation se concrétise, se dit-il, amusé, à l'arrivée du plateau d'argent qui apporte les objets nécessaires au rituel du thé. Mademoiselle Taylor I devient l'officiant. C'est elle qui manœuvre la théière fine, peinte de motifs dorés. Mademoiselle Taylor II soulève les fragiles tasses de porcelaine. Elle en tend une à David en s'inclinant légèrement. Le jeune homme garde sa tasse à la main, précieusement, ne sachant comment en disposer. Les deux femmes se servent mutuellement en maniant les cuillères, les biscuits, les serviettes de toile fine avec l'élégance et la dextérité que confère l'habitude. David, par prudence, a refusé le sucre et les bouchées pour ne pas multiplier les gestes délicats et risqués. Les demoiselles Taylor boivent à petites gorgées, picorent avec une habileté esthétique. La conversation se poursuit allègrement, saute sans effort d'un incident amusant à un événement grandiose. Pour mieux suivre la conversation, David Gosselin décide de se débarrasser de cette malheureuse tasse. Il la pose délicatement sur le carré de dentelle qui recouvre le bras de son fauteuil. Subitement la vie est perturbée, semble-t-il, l'entretien se met à tourner sur lui-même, l'avenir du monde entier devient imprévisible, les deux sœurs n'en finissent plus de se regarder douloureusement. David se demande quel événement fâcheux a pu déclencher un si tragique climat. Comment peut-il supposer que la destinée d'une tasse de porcelaine l'emporte sur l'évocation d'un si riche passé! Comme il ne manifeste aucun signe de compréhension, mademoiselle Taylor II essaie, dans un rapprochement subtil, de lui signaler l'imprudence de son geste. Elle pointe d'un mouvement théâtral un énorme vase chinois. Et David, surpris, entend une voix tremblante d'émotion lui expliquer que ce vase date du temps des Ming, qu'il est venu d'Angleterre avec l'ancêtre des Harbottle, qu'il s'est échoué là, près de la cheminée et ne pourrait jamais reprendre la mer tant il est fragile. Le jeune homme comprend enfin par intuition plus que par analyse que le climat d'énervement est relié à la position précaire de sa tasse de thé. Il a la subite impression que s'il la projetait sur le vase chinois, les demoiselles Taylor se pulvériseraient aussi. Une fine poussière bleue brouillerait l'air du salon avant de recouvrir le tapis persan. Il tend le bras, pose la tasse précieusement sur la table, se cale dans son fauteuil et ne bouge plus. Aussitôt la conversation reprend son rythme premier. Le jeune homme, soulagé, retrouve le climat d'irréalité, intense et fascinant. En soulevant à peine le regard, il aperçoit une large tranche du cimetière éclairé d'épitaphes blanches.

Le temple au faîte de la butte se dessine délicatement sur l'opacité grise du ciel d'automne. Il observe les demoiselles Taylor qui, à l'évocation d'un souvenir, s'immobilisent dans des postures inconfortables en illustrant, se dit-il, le côté spartiate des belles manières. Elles tiennent leur tasse avec une préciosité qui accentue la splendeur de l'objet mais souligne la précarité de son sort. David respire mieux depuis qu'il a déposé la sienne. Il est plus dispos pour suivre les deux femmes qui remontent le cours de leur histoire familiale. D'abord à tâtons à travers une brume nostalgique mais bientôt avec précision et une grande richesse de détails. Elles ont ainsi repris la description de l'arrivée du vase Ming. Si bien qu'il a retrouvé, un moment, son éclat original et les vieilles filles, le prestige de leur rang social. Elles sont remontées aussi loin qu'elles ont pu dans leurs souvenirs puis elles sont demeurées immobiles et silencieuses. Comme deux araignées engluées dans les fils d'argent de leurs toiles ancestrales. David a eu le temps de penser que durant cent ans les cloches du temple avaient sonné mais que toujours leur écho s'était infléchi aux limites du fief. Le souvenir de Sophie Lagrange revient à son esprit avec une acuité nouvelle. Il la voit plus vivante encore que dans les récits, resplendissante, débordante de vitalité, amoureuse de ce Frank Taylor qu'elle a rencontré un jour par hasard. Une passion réciproque aussi implacable qu'interdite en était résultée. Un amour farouche, unique, scandaleux qui brava tous les interdits, défia tous les préjugés mais eut malheureusement une fin prématurée. Quand Frank Taylor mourut, Sophie Lagrange se retrouva absolument seule au monde. Elle décida de demeurer dans Cumberland comme un symbole et une provocation. On ne lui connaissait ni amis, ni relations. Sauf deux couleuvres apprivoisées, nourries au lait, qui la suivaient partout. Le plus souvent avec discrétion en se camouflant dans l'herbe, au creux des fossés ou le long de la chaussée. À moins que Sophie Lagrange ne juge méprisante la façon qu'avaient les hommes de la regarder passer. Alors elle sifflait ses bêtes. Et les couleuvres apparaissaient dans une ondulation démesurée tant elles étaient longues et grasses. Elles venaient s'enrouler aux pieds de la veuve, levaient vers elle leurs têtes fines et agitaient leurs lancettes en étamine de lys rouge. Sophie Lagrange tendait les bras et les reptiles obèses se coulaient autour de ses jambes, le long de ses cuisses, contournaient son ventre et allaient s'enrouler au cou de la femme. Elles s'immobilisaient ainsi, leurs têtes fines et aplaties dans l'échancrure de son corsage. La veuve redressait une tête insolente, et relevait à demi les paupières sur un regard allumé de plaisir et de défi. La légende affirme que les hommes, alors, courbaient la tête, troublés mais vaincus.

— Est-ce que vous pouvez m'indiquer où est enterré votre oncle Frank? interroge David subitement.

« *Uncle Frank?* » répète mademoiselle Taylor I dans un murmure. « *Uncle Frank?* » reprend l'autre en baissant la tête sous le coup d'une inoubliable humiliation.

— Il est là-bas, au fond du cimetière, près de la clôture, répond-elle en indiquant l'endroit d'un geste vague vers la fenêtre.

— Et sa femme, c'était?...

Elles ont répondu en même temps, d'une voix précipitée en se levant aussitôt. Et le jeune homme entend le bruit cristallin d'une faïence fine qui s'égrène sur le plancher. Depuis deux cents ans qu'elles les tenaient précieusement dans leurs mains, voilà que les demoiselles Taylor viennent d'échapper leurs tasses de porcelaine.

La tricheuse

Mon cher fils,

Cet après-midi, tu es venu dans ma chambre accompagner le curé; je t'ai vu dans toute ta bonté, cette politesse de l'âme qui donne à ton regard une tendresse attentive. Tu m'amènes le curé parce que tu te rappelles combien j'étais religieuse autrefois. C'est vrai, je l'étais mais quelle place tenait Dieu dans l'ordre de mes croyances? Je ne saurais le dire. J'avais une dévotion plutôt idolâtre. Pour lutter contre l'orage, j'allumais aux fenêtres le grand cierge bénit; sa flamme vacillante, qui étirait nos ombres sur le mur, prenait une puissance bénéfique sur laquelle je concentrais ma peur et ma confiance. J'y voyais le dieu du bien luttant contre le dieu du mal qui secouait les collines d'un tonnerre menaçant. Je te donne cet exemple, je pourrais t'en donner mille. Surtout maintenant que j'ai le temps de réfléchir et m'accorde le plaisir d'écrire. Depuis que je vis dans cette chambre, isolée du monde, m'y rattachant seulement quand je le veux, je ne pense plus à l'au-delà. Je vis simplement, dans une douceur absolue, sans penser que mes actes, comme autrefois mon abnégation, me sont crédités aux livres d'une banque céleste. Je croyais m'être installée à perpétuité dans cette vie de recluse. Cet après-midi, quand le curé s'est récrié sur ma bonne mine en m'appelant la mère éternelle, j'ai réalisé que mon éternité approchait de sa fin; son regard perçant pressentait l'échéance de mon dernier sursis. J'ai vécu longtemps, j'en suis bien aise... mais j'ai peut-être abusé de ton hospitalité, mon fils. Je m'en excuse mais ne le regrette pas.

Je regarde dans le miroir cette petite vieille que je suis devenue, cette mousse de cheveux blancs sur son front jauni, ses dents usées, et je m'en amuse. Il sera facile de mourir, il me suffira d'un peu de sérieux et d'application. Ma peau amincie révèle déjà la forme de mes os; elle adhère, diaphane, à mes tempes, à mes poignets. Je vois se croiser des réseaux de veines bleues qui me fascinent. Je mourrai heureuse. Comme je dois à ton affection cette partie de ma vie qui en fut son paradis, je te dois aussi la vérité. L'imposture a assez duré. Avant de partir, je veux te dire à toi que j'aime tant: j'ai triché. Je ne suis pas malade. Je ne suis pas folle. Je ne l'ai jamais été. Depuis vingt-deux ans, couchée dans ce lit, mon fils, je triche.

Comment cela a-t-il commencé? Je vais te raconter. Ta bonté trouvera dans mon récit les raisons qui lui suffiront peut-être à me pardonner.

Du plus loin dont je me souvienne, déjà je trichais. C'est embêtant d'être prisonnier de son seul corps sans savoir ce que les autres ressentent dans le leur. Je perds ainsi des points de comparaison indispensables. Tu vas me répliquer que les faits seraient les mêmes. C'est vrai, mais en les confrontant à d'autres je pourrais mieux les comprendre et plus facilement te les expliquer. Ainsi ma sœur Esther était plus vaillante que moi. Peut-être était-elle d'une constitution plus robuste? Elle avait, c'est certain, l'avantage d'être plus jeune, ce qui automatiquement me désignait pour les tâches pénibles. Levée tôt pour bercer le dernier bébé, je voyais avec désespoir approcher l'heure d'aller à l'étable aider au train. Quand je n'en pouvais plus d'assumer un rôle au-dessus de mes forces, je simulais l'évanouissement avec un naturel qui m'étonnait moi-même. J'avais soin de me placer au milieu de la pièce pour ne pas me blesser en tombant. Mon père me relevait et me transportait jusqu'à ma chambre. Inquiète mais pressée (mon abstention doublant sa besogne) maman disait: « Tu appelleras si tu as besoin. » Je n'appelais pas, dieu merci! Je retrouvais la chaleur apaisante de mon lit. Les cris de mes frères et sœurs, loin de me tourmenter, doublaient le plaisir que je ressentais de n'avoir pas à m'occuper d'eux.

C'est peut-être de cette expérience, répétée souvent durant ma jeunesse, que m'est venue il y a vingt-deux ans l'inspiration qui m'a sauvée. Ce matin-là, je m'étais levée la dernière, exténuée comme toujours quoique mes enfants ne me dérangeaient plus la nuit. J'avais de nouveau la liberté de dormir mais je n'arrivais pas à retrouver ma santé. Je tombais dans le sommeil comme dans un gouffre d'où je remontais, angoissée, moite de sueurs et le cœur en bouillie. Mon repos du matin était plus calme mais je me réveillais quand même l'âme meurtrie. Arrivée au haut de l'escalier, ce matin-là, je m'assis sur le coffre de cèdre où sont rangées les pièces tissées. Je vous voyais ton père et toi. Vous vous laviez les mains et discutiez de l'emploi de votre journée. Rita ta femme préparait le déjeuner. (Elle est gentille, Rita. Elle vivait à la maison depuis six mois, déjà. Je l'ai aimée tout de suite d'une affection qui ne s'est jamais démentie.) Une bonne odeur de café montait vers moi. Je me levai pour descendre. J'allais poser le pied sur la première marche quand je vis ta femme s'immobiliser et faire de la main le geste de réprimer une nausée. Je fus atterrée. J'observai aussitôt que la ligne de sa taille ne s'incurvait plus, qu'elle tombait droite des côtes à la hanche. Je vis sur-le-champ recommencer la ronde des nouveau-nés, les accouchements de Rita, ses relevailles, l'ouvrage qui s'accumule, le rythme des jours qui s'accélère, déborde de plus en plus sur les nuits. Je fus prise de panique. Je portai la main à ma gorge pour étouffer ce cri terrible que j'entendis. Il était tragique, douloureux, comme étranger à moi-même. Ce hurlement, c'est tout ce dont je me souvienne. Ce matin-là, je n'ai pas choisi le lieu dc ma chute. Je suis tombée inconsciente, comme j'aurais pu tomber morte. Ce matin-là, je n'ai pas triché.

Quand je me suis réveillée, tu étais au pied du lit avec ton père et Rita. Vous écoutiez le médecin dire avec une fausse bonhomie: « Il n'y a rien de brisé mais le moteur est usé. » Ah! avez-vous fait, impuissants, désolés mais pressés par les urgences quotidiennes. Tu avais l'air bouleversé et ton père, les yeux pleins de larmes, répétait gauchement les mots de ma mère autrefois: « Ne t'inquiète pas. Repose-toi bien. Si tu as besoin, tu appelleras. »Vous êtes sortis tous les trois. Moi, je me suis détachée comme une étoile d'une nébuleuse et j'ai filé doucement vers un ciel inconnu.

Le lendemain, Rita m'apporta mon déjeuner sur un cabaret recouvert d'un carré de toile empesée. Je réprimai ma joie et l'envisageai d'un regard absent. Elle se troubla. Ta sœur Carmen entra au même moment en demandant: « Maman, où sont mes bas noirs? » Je ne répondis pas, me contentant de déplacer vers elle mon regard voilé. Elle eut des yeux étonnés puis craintifs. Elle recula jusqu'à la porte et dit: « Rita, tu sais où sont mes bas? » Voilà, le transfert était fait. Je me repliais. Je venais d'abandonner la première position.

Le surlendemain, pour la seconde fois, je me réveillai seule dans mon lit. J'avais dormi en bienheureuse allongée comme une croix de Saint-André. Je demeurai longtemps inerte jouissant de mon immobilité. Maintenant que j'en connaissais la douceur, je recherchais mes aises. Je voulais atteindre à la béatitude, je la pressentais déjà. Le soleil levant qui inonda tout à coup mon lit me parut brutal. Devant vous, je fus affolée en agitant mes mains tremblantes devant mes paupières closes. « Je mettrai un rideau épais », dit Rita. « Elle n'aura plus l'air pur de la fenêtre », répliqua ton père qui m'observait d'un regard attristé et surpris. Je le déroutais. Peut-être était-il inquiet d'avoir vécu intimement avec une femme qui subitement lui était étrangère. On pourrait lui donner la petite chambre arrière et toi le père tu reprendrais la tienne, conseillas-tu prudemment, ne voulant pas souligner l'étrangeté et la gravité de ta suggestion: enlever l'épouse du lit conjugal. « Tu veux, la mère? » demandas-tu gentiment en te penchant vers moi. Je fus transportée dans la petite chambre arrière. Mon but était atteint. Quand je fus installée dans le lit à quenouilles hérité de ma mère, je me jurai de n'en plus sortir que selon mon caprice. J'ai tenu parole.

Plus tard, ton père vint me porter sa berçante qu'il plaça près de la fenêtre. Il me flattait les cheveux avec une pitié affectueuse et me parlait comme à un enfant. Je mettais mon regard en veilleuse, je le tenais fixé sur un objet dont les lignes se brouillaient. Une image floue, irréelle se créait devant moi. J'y accrochais toute mon attention, laissant passer le reste en marge, comme dans un autre monde. Le moyen était facile et le résultat excellent.

Ton père n'était pas méchant. C'est par fatalisme qu'il m'a fait tant d'enfants. On lui avait appris à s'en rapporter à la Providence; c'est à elle qu'il confiait le soin de me protéger. Ah! ce berceau dans le coin de la chambre qui, pendant vingt ans, ne fut jamais vide! L'enfant y restait jusqu'à ses premiers pas et encore fallait-il qu'il fût précoce. Souvent il était promu à la seconde couchette parce que le berceau allait de nouveau être occupé. Ces nuits hachées de cris! Ce sommeil déchiré! Tous ces enfants que j'ai mis au monde, que j'ai aidés à grandir en arrachant de moi cette part de vie que je leur donnais. Et qui partaient un bon jour sans même me remercier, les yeux tournés vers des amours qui m'étaient étrangères. Souvent je pleurais doucement sur moi-même parce que j'aurais aimé mourir. Pour reposer dans un cercueil où il n'y aurait place que pour moi. La tête posée sur un oreiller de satin et tout autour de moi un capitonnage très doux. Et personne pour crier: Lève-toi, j'ai besoin de toi, viens. J'aurais voulu dormir, dormir, un an, deux ans sans un bruit, sans un mot, sans les enfants qui sont malades la nuit, ont des cauchemars, pleurent, appellent, se disputent ou, comme on dit si justement, inventent des cris. Pourtant, mes premiers enfants, si tu savais comme je les ai aimés. Avec une ardeur exaltée. Au premier tressaillement du bébé dans mon ventre, je ressentais dans tout mon être un bonheur chaud et tendre comme de la mie de pain à la sortie du four. Tenir un bébé au creux de ses bras comme au creux d'un nid n'est pas une servitude, c'est un privilège, mais pour qu'un destin conserve sa grandeur et sa noblesse il faut avoir le choix d'y consentir. Quand le troisième enfant s'est amené, j'ai ressenti dans mon corps certaines résistances. De mes plaisirs amoureux, ton père avait fait sa routine. Par ignorance, sans doute. Mon corps dès lors s'est tu. Le droit que je me reconnaissais, qui est de vivre aussi pour moi, j'ai dû le prendre par la force. Non, pas par la force, ce serait trop glorieux mais par la ruse... Maintenant, camouflée derrière ma folie, je peux voir la vie, l'écouter. Ses voix sont multiples. Je choisis celles qui font écho en moi. Elles s'y épanouissent et me transfigurent. Je choisis les plus simples, les plus vraies. Le jardin pour moi n'avait toujours été qu'une provision de légumes, les poules se résumaient au profit de leurs œufs. Les jours où il fait beau, tu ne peux te résoudre à ma réclusion. Tu viens me chercher. Je me laisse guider jusqu'à la chaise installée pour moi au jardin. Tu retournes au travail et moi, ravie, je découvre que la floraison des légumes, pour discrète qu'elle soit, est aussi jolie que diversifiée, j'admire le feuillage que chaque espèce modèle avec grâce, pour prouver son identité. Tu n'as jamais remarqué comment est gracieuse la fleur du tabac? Et harmonieuses les boules blanches que les oignons tiennent en équilibre? Et puis cette poule que j'ai apprivoisée avec un geste tout simple et quelques mots inlassablement répétés, tu t'en souviens? L'amitié des bêtes m'est devenue possible, maintenant que je n'ai plus à les exploiter.

Toutes ces années vécues dans cette petite chambre sombre qui donne sur la cour arrière furent merveilleuses. J'ai regardé pousser l'érable jusqu'à la hauteur de ma fenêtre. J'ai appris à identifier les oiseaux qui se posaient sur ses branches. J'y ai vu jouer le vent, se pâmer les couleurs de l'automne. J'ai surveillé les constructions diversifiées des nids. Je me suis bercée devant la fenêtre des heures durant vous regardant dans la cour entrer le foin, battre l'avoine ou pelleter le chemin qui conduit à l'étable et se remplit à chaque poudrerie. Comme tu vois, je suis devenue exaltée. La vie quotidienne, souvent pénible je le sais, se résume maintenant pour moi en gestes consacrés; leur pérennité leur confère une perfection qui m'émeut. Le corps s'harmonise si bien, après tant de générations, aux mouvements requis par sa fonction qu'ils en viennent à se confondre. Les grains que ton père semait à la volée tombaient en terre avec l'uniformité de la pluie et la cadence de la poésie.

J'ai préféré tes enfants aux miens parce que j'ai eu le temps de les aimer. Auparavant, ma vie était une ligne rigide surélevée qui tombait bêtement au bout de ma trajectoire dans une fosse. Maintenant, elle fait des courbes nonchalantes, des ronds fantaisistes. Autour de certains êtres et de certaines choses elle tourne, tourne... avec douceur, volupté et je découvre des joies dont je n'aurais jamais imaginé l'existence. Quand on demande à son corps au-delà de ses possibilités, l'âme s'éteint ou vacille ou se trouble et ne survit plus que dans les gestes mécaniques. C'est avec tes enfants que j'ai retrouvé ma sensibilité, le don de m'émouvoir. Chaque matin quand Rita m'apportait le dernier-né, je sentais s'éveiller de nouveau mon âme. Je la berçais aussi en berçant le bébé. Tes enfants sont tous passés dans mes bras. Après, je les regardais courir dans la cour et faire auprès de toi leur apprentissage. Cet éloignement était transitoire, ma chambre a toujours été leur port d'attache préféré. Entre la commode et le mur près de la fenêtre, j'ai placé des coussins; c'est leur cabinet de lecture. Souvent une tête blonde ou brune se penche sur un livre, dans cet espace en forme de niche. Tes garçons inquiets dans leur peau d'adolescent viennent s'étendre sur le pied de mon lit et rêvent à haute voix en coupant leurs phrases d'un: « Grand-mère, penses-tu que... » En fait, c'est eux-mêmes qu'ils interrogent.

Quand après mille tâtonnements ils approchent d'une solution heureuse, ils me sourient avec reconnaissance. En fait, ils me remercient de n'avoir pas essayé de leur imposer une réponse.

Je n'ose pas te donner de conseil mais je risque une prière: donne des responsabilités accrues à tes filles. Tu ne saurais imaginer combien serait améliorée notre société de mâles si vous y intégriez les femmes. On écrit beaucoup sur l'égalité des sexes mais il ne me semble pas qu'on le fasse avec discernement. Qui pourrait mieux décider qu'elles-mêmes ce dont elles ont besoin? Et comment le feraient-elles puisqu'on ne leur confie pas les postes de décision. Quand tout va au plus mal, on ne peut pas dire que le risque serait trop grand! Ne t'inquiète pas inutilement, elles sont plus facilement lucides et réfléchies que frivoles et sottes quand on leur en donne l'occasion. Je ne vais pas te faire un discours mais sache que c'est ta fille Marie qui saurait le mieux t'aider pour transformer ta ferme en établissement agricole comme tu le désires. Consulte-la sur le rendement économique de cette exploitation future et tu verras que je vois juste.

Pendant l'année scolaire, j'ai fait répéter les leçons avec une curiosité attentive qui est vite devenue une passion. La géographie, quelle merveille! J'ai fait grâce aux manuels des enfants des voyages dont le souvenir me tient encore compagnie. Il y a des pays si petits que je peux les traverser à pied! Et puis, les livres de littérature... j'ai dérobé tous ceux qui sont entrés dans la maison. Je pouvais les rendre sans tarder, je lisais très vite. Maintenant, ma vue diminue... disons qu'elle est plus capricieuse. Au risque d'encourir ta moquerie, je te fais un aveu: c'est la poésie que j'ai préférée. Tu deviens un musicien, tu joues avec les mots, tu cherches la cadence, tu trouves le rythme, à chaque syllabe, sa note. C'est un travail difficile et long, je te l'accorde, mais il me procure un plaisir raffiné que je n'aurais pu imaginer. Comme tu vois je me suis même offert le luxe. Aussi, quand mes sœurs me visitent l'air navré en soupirant: « Pauvre Élise! » je réprime avec peine mes éclats de rire et une envie folle de leur révéler la vérité.

Avec tes enfants, c'est différent. Le mystère de mon existence ne les impressionne pas plus que l'extravagance des contes que je leur invente. Je m'imagine leur étonnement quand ils constatent qu'une grand-mère n'est pas forcément folle et recluse. Ils ont la simplicité de me garder leur affection mais de temps à autre leur comportement change. Ils m'observent, me posent des questions fines, sournoises et viennent souvent près de me démasquer. À ce moment-là, je resserre mon jeu. Les enfants instinctivement flairent la vérité, la dépistent. Les tiens ont-ils réussi? Je ne sais pas. Quel que soit le résultat de leurs investigations, ils me gardent leur tendresse.

J'ai triché, oui, mais jusqu'à quel point? Quand ton père a fait sa crise cardiaque et que je vous ai vus le sortir de l'étable la tête pendante et les bras ballants, je me suis levée, j'ai suivi le corridor d'un pas ferme, décidée à reprendre mon rôle. Arrivée au haut de l'escalier, je n'ai pu continuer. Mes forces, mon courage, mon chagrin m'ont subitement abandonnée. Encore une fois, j'ai fui devant une trop pénible réalité. Quand tu es entré à la maison, tu m'as trouvée inconsciente encore une fois. Le lendemain, je marchais de nouveau à pas courts et traînants. C'est de la fenêtre de ma chambre que j'ai vu partir le corbillard. Je m'étais mariée par amour, tu sais. Cet amour est emmuré quelque part parmi mes souvenirs, je réussis quelquefois à l'entendre et à le sentir bouger. Et, à force d'attention, il m'arrive de

54

retrouver intact le bonheur qu'il m'a procuré, un bonheur fugitif qui s'estompe aussitôt mais ne me laisse pas démunie puisque je connais aussi, mon fils, le plaisir de vivre en harmonie avec la nature. Éveillée par le jour, endormie par la nuit, portée au rythme des saisons, je chante les printemps et médite l'hiver. J'irai à la terre comme le fruit qui tombe de plénitude. Je m'endormirai un soir pour ne plus me réveiller.

Dans la vie, les hommes sont tributaires les uns des autres. Il y a donc toujours quelqu'un à maudire ou à remercier. Je te remercie. Toi qui as accepté que ta mère soit folle, tu permets sans doute qu'elle ne le soit pas. Mais je t'en prie ne le dis à personne. Mon témoignage serait cruel... non... les femmes refuseront d'y croire pour n'avoir pas à se juger. La vérité est intransigeante. Il faut du courage pour répondre à ses exigences. Les gens préfèrent les incertitudes, les accommodements pour s'absoudre, s'encourager, se valoriser.

Ne t'inquiète pas pour le salut de mon âme. Ne paie pas les messes habituelles. Je n'ai jamais compris qu'on rende hommage à un père en lui offrant le sang de son fils. Je préfère me présenter tout simplement devant Dieu et lui dire comme à toi: j'ai dû tricher pour vivre. Je m'en excuse mais ne le regrette pas.

Ta mère

Ce sexe équivoque

Quand vous l'avez vue descendre du taxi, vous étiez appuyé à la spacieuse baie vitrée de votre salon funéraire dont vous avez refait la façade l'an dernier. Vous ne regrettez pas d'avoir dépensé beaucoup d'argent pour donner à votre établissement l'allure cossue d'une maison victorienne. Vous aviez constaté qu'une tendance nouvelle incitait les gens à se faire ensevelir somptueusement, un cran plus haut que leurs conditions sociales et leurs moyens pécuniaires. Vous pratiquez dans une petite ville minière de Canadiens français à revenus moyens.

Vous êtes appuyé à la fenêtre et fumez une cigarette au menthol, habitude prise depuis longtemps et toujours efficace. Quand vous sortez de votre laboratoire, dites-vous en appuyant sur ce dernier mot, la fumée aromatisée de cette cigarette vous débarrasse de cette persistante odeur de mort au formol.

Elle est descendue de l'autre côté de la rue et s'apprête à la traverser. Vous n'oubliez pas que vous venez d'ensevelir le mari de cette femme encore jeune. Vous ne l'oubliez pas, c'est évident, puisque vous êtes avant tout un homme d'affaires mais vous ne pouvez empêcher que s'ouvre derrière elle un éventail de souvenirs qui s'agite et frémit. Vous revoyez avec une précision qui s'accentue à son approche les deux mois durant lesquels elle fut à votre emploi.

Elle porte ces chaussures à semelles épaisses et rigides, conçues par un modeliste sadique qui inflige aux femmes libérées une démarche de Chinoise du temps des Ming. Vous vous êtes toujours étonné des difficultés gratuites que s'imposent les femmes en général et vous vous amusez du cas particulier qui se dirige vers vous. Elle éprouve, vous semble-t-il, les difficultés d'un acrobate en équilibre sur son fil. Elle a toujours ce visage de starlette qui avait attiré votre attention: une chevelure en mousse de savon, des lèvres au jus de fraise, une peau teintée à la cannelle. Vous aviez remarqué depuis longtemps l'allure étonnante de la jeune femme mais c'est son métier qui vous avait incité à l'engager. Vous vouliez donner une allure moderne à votre salon funéraire. Vous vous étiez enthousiasmé des avantages qui résulteraient du travail de cette coiffeuse et de la complicité de votre dynamisme et celle de son imagination. Malheureusement, elle n'a pas du tout saisi la subtilité de vos intentions. Au début, tout alla très bien. Il avait été convenu qu'elle viendrait exercer son métier et offrir ainsi à votre clientèle le luxe additionnel d'une dernière mise en plis. Il ne vous en coûtait rien de plus puisque ses services s'ajoutaient aux extras de la note finale. Vous avez toujours admiré l'astuce des marchands de savon; le truc de la serviette-prime dans les boîtes grand format, par exemple. Vous n'aviez pas prévu que votre nouvelle associée serait autoritaire et arrogante, comportement qu'elle avait acquis auprès de la clientèle snob qui fréquentait son propre salon de coiffure. Il ne convenait pas à votre établissement, le seul dans un rayon de quarante milles où se croisaient forcément toutes les classes de la société. Il fallait du doigté, de la psychologie, une façon discrète de persuader... surtout avec les pauvres. Vous vous souvenez très bien de l'incident malheureux qui vous a ouvert les yeux. Vous veniez de vendre enfin votre dernier cercueil de peluche en vous laissant, semblait-il, arracher un rabais. Vos pauvres clients allaient à la limite de leurs moyens financiers. Pour compléter la toilette de la défunte, vous n'aviez qu'à lisser ses cheveux blancs avec la paume de vos mains. Votre coiffeuse avait insisté auprès des parents pour faire une coiffure dernier cri, disait-elle, insisté jusqu'à la colère, jusqu'au mépris. C'était une grossière erreur de jugement qui aurait pu avoir de néfastes conséquences. Elle ne faisait pas toujours des gaffes aussi manifestes mais toujours elle les frôlait d'une façon inquiétante qui vous énervait.

Plus elle approche, plus vous trouvez regrettable d'avoir été dans l'obligation de la congédier. Sous un prétexte fallacieux mais acceptable il va de soi, qui protège l'amour-propre et sauvegarde les relations ultérieures.

La voilà qui monte l'escalier. Elle porte le deuil en cuir noir, vous exclamez-vous, ravi de la retrouver telle que vous l'avez connue: merveilleuse de compromis. Vous allez lui ouvrir la porte. Elle entre, précédée d'un parfum capiteux, suivie du bruit presque inaudible mais saisissant d'une jupe en peau qui se tend et respire, semble-t-il, à chaque pas.

Vous voilà décontenancé, vous qui ordinairement gardez si bien votre assurance même dans les situations invraisemblables ou les circonstances difficiles. Vous savez toujours quel ton choisir, jusqu'où peut ou doit aller votre condescendance et votre sympathie. Devant elle, vous demeurez bouche bée, vous faites simplement un geste en direction de votre bu-

58

reau. Elle y entre, s'assoit selon son habitude d'une façon inconfortable et compliquée. Vous avez l'impression que le cuir de la jupe va se fendre sous vos yeux. Les genoux sont pressés l'un près de l'autre mais trop penchés vers la gauche. Vous vous sentez obligé de précipiter la conversation mais dans votre distraction vous n'en avez pas prévu le premier mot. Pour la première fois, dans votre rôle de croque-mort, vous gaffez. Vous avez une bien charmante manière de porter le deuil, dites-vous. Elle vous regarde, outrée: vous auriez peut-être préféré que je le porte en rouge? Vous retrouvez intacte cette façon imprévue, ce détour imprévisible qu'elle prenait toujours pour avoir raison. Vous savez très bien que les condoléances seraient de rigueur mais vous êtes dans l'embarras. Vous connaissez trop la nature des relations maritales qui l'unissaient au défunt. Elle vous a tout raconté. Chaque fois que vous vous penchiez ensemble sur un cadavre, les confidences dégorgeaient devant vous. Vous en étiez ravi. Elle avait le souci du détail, un choix de mots qui transformait une histoire banale en un récit allusif, vif et transparent. Vous avez ainsi appris que dans la ferveur du début de leur vie conjugale, ils avaient adjoint leurs métiers respectifs. Association fort plausible puisque, lui, était barbier. Ils occupaient tout le rez-de-chaussée d'une grande maison, située sur la rue principale d'une petite ville voisine. Un poste de choix. La façade avait deux portes. Côté gauche, sous le tube giratoire traditionnel, pendait une affiche: *Razor cut.* La suggestion venait d'elle évidemment.

La deuxième porte ouvrait sur l'antichambre d'un salon de marquise. Des fausses colonnes de marbre, du papier peint avec appliqués de velours doré, des fauteuils Louis XV faits par l'ébéniste de la rue Saint-Alphonse, des miroirs immenses le long desquels descendaient des cordons jaunes en soie. Sur le mur blanc, face à la porte, s'étalait une photocopie agrandie d'un diplôme sibyllin. Il lui avait été décerné par un maître-coiffeur de Paris venu à Montréal pour y donner un cours intensif d'une semaine.

Il était évident que l'humble bâton giratoire rouge et blanc n'allait pas tarder à offenser l'ambition de la coiffeuse. La rupture de leur association précéda-t-elle ou suivit-elle celle de leur amour? C'était sans importance, laissait-elle tomber sèchement, puisque les deux résultaient d'un incroyable malentendu. Un bon jour, le barbier avait chargé son fauteuil aux accoudoirs chromés dans un camion de déménagement. Il l'avait suivi, au volant de la voiture sport dont il avait rêvé si longtemps et qu'il venait enfin de s'offrir. Le bris de leur société ajouté à la rupture conjugale le délivrait enfin de cette obligation où il était de contribuer à un compte d'épargne commun, qu'il fallait arrondir sans merci à chaque fin de mois quitte à se priver de nourriture, de sorties et de tabac. L'austérité n'est acceptable qu'étayée par l'ambition. La coiffeuse y puisait des levains de rêves, lui, des ferments de suicide.

Est-ce que vous lui avez ou non offert vos condoléances à la jeune veuve? Vous ne savez plus. Elle est devant vous, coincée dans sa jupe de cuir et vous observe perplexe, peut-être amusée. Il y a dans son regard cette lueur malicieuse qui signifie qu'elle est en position de force. Si vous offrez deux fois vos condoléances, vous êtes ridicule. Si vous les omettez, vous êtes pris en flagrant délit: les règlements de la maison doivent être observés rigoureusement, avez-vous toujours répété à vos employés. Alors pour couper court à vos hésitations, vous proposez avec déférence: « Il serait bien que nous nous rendions dans le salon d'exposition. »

Vous êtes sortis de votre bureau. Arrivée la première dans l'embrasure de la porte d'arche, elle a réprimé un mouvement de recul, vous a-t-il semblé, et puis elle s'est ressaisie.

— C'est à votre goût?

— C'est bien, dit-elle en plissant les yeux pour avoir une plus juste vue de l'ensemble. C'est parfait, ajoute-t-elle avec un ton de complicité qui vous gêne un peu. On ne dirait jamais que le cercueil est en faux acier... Personne ne s'en apercevra. On aurait eu plus de difficulté pour tricher avec le bois... sa parenté est de la Gaspésie...

— Mes cercueils de chêne sont en vrai chêne, vous le savez bien.

Vous êtes blessé mais elle ne se soucie nullement du ton aigre de votre voix.

— Je ne respecte pas moins mon mari avec du faux acier puisque tout le monde croira que c'est du vrai!

Ce genre de phrases invraisemblables vous déroute toujours. Vous êtes demeuré muet.

— Vous pouvez avancer la couronne et la coller un peu plus au prie-dieu?

Vous alliez satisfaire ce désir raisonnable: il était normal que l'offrande florale de l'épouse légitime soit en évidence.

Elle a élevé la voix.

— C'est combien pour l'ouvrage au complet?

Elle vous a posé la question comme elle vous aurait braqué un pistolet dans l'estomac. Ordinairement, tout un cérémonial accompagne le sujet si délicat des honoraires. Après quelques instants d'un désarroi bien excusable, vous avez retrouvé votre sang-froid.

— C'est deux mille dollars tout compris, les porteurs inclus, la couronne qui est à votre nom aussi.

Elle est demeurée dans l'embrasure de l'entrée.

61

Vous vous approchiez d'elle afin de pouvoir parler plus discrètement.

— Rien ne presse, j'attendrai le temps que vous voudrez... Le premier paiement sera à votre convenance...

— Vous croyez que j'ai besoin de délai? riposte-t-elle arrogante.

Elle tourne le dos avec suffisance et se dirige vers votre bureau.

— Vous avez un chèque? demande-t-elle froidement.

Elle veut vous impressionner, c'est évident, mais vous n'arrivez pas à saisir si le jeu est gratuit ou intéressé.

— Les temps ont bien changé depuis notre association... Ma clientèle a doublé. Et la chance me sourit, assure-t-elle triomphante.

— Moi, je maintiens difficilement la mienne, elle aurait plutôt tendance à m'abandonner si je ne la surveillais pas sans arrêt.

Votre aveu si simple, votre inquiétude si franche influence aussitôt sa stratégie. Il serait plus juste de dire qu'elle décide de l'oublier momentanément.

— La chance est un animal capricieux qui réagit surtout quand il est provoqué, vous murmure-t-elle se penchant au-dessus de votre pupitre, appuyée sur les paumes de ses mains. Elle cligne de l'œil et avec cette impudence qui la caractérise:

— La mort d'Albert, c'est mon dernier coup de veine!

Interloqué, vous n'avez pas répondu. Elle a tout de suite enfilé:

— Albert, quand il était célibataire, raffolait de la course automobile. J'avais remarqué qu'il en avait gardé comme un tic dans le pied: devant un espace libre, aussitôt il accélérait, la palette au plancher.

62

Elle continue, volubile, excitée par cette confession impromptue.

— J'ai eu l'intuition d'un accident possible, vous explique-t-elle sans aucune pudeur. Après notre séparation, j'ai pris tout de suite une police d'assurance sur sa vie. Une grosse. Double indemnité en cas de mort accidentelle!

— Pas bête, avez-vous répondu en sifflant d'une façon cynique, pour garder contenance et contrôler ce frisson qui vous hérissait le poil des bras. Elle a baissé la tête modestement.

— Il y a des avantages matériels qui se perdent bêtement dans notre système capitaliste, faute de réflexion et de connaissances, conclut-elle en retrouvant une gravité plus digne.

Les parents du défunt sont arrivés vers la fin de l'avant-midi, vêtus de noir, douloureux et fourbus. Vous êtes allé les recevoir avec un empressement ému. Ils vous rappelaient si bien votre propre famille, modeste et fière. Ils s'excusèrent gentiment d'arriver plus tard que prévu. Ils n'avaient pas calculé le temps qu'ils mettraient à trouver votre salon funéraire. La ville s'était tellement développée depuis cette dernière fois qu'ils y étaient venus... il y avait une quinzaine d'années, peut-être... Évidemment qu'ils avaient oublié l'adresse sur la table de la cuisine.

— Je l'avais justement placée là pour qu'on la remarque, ajoute la mère confondue.

Ils embrassèrent cette personne singulière, étrange, dont le rôle se résumait, pour eux, à avoir été la femme d'Albert. « C'est terrible de mourir dans un accident... Sois courageuse... Les épreuves, c'est pour les humains... » Vous écoutiez les voix multiples de ce chœur antique qui improvisait le chagrin de la veuve sans prévoir que cette dernière s'accaparerait du rôle de soliste. Elle laissa filer un premier sanglot, suivi d'un deuxième plus expressif, de plusieurs autres en crescendo continu. Enfin, la famille émue vit la femme d'Albert se jeter littéralement, les bras en croix, sur le couvercle du cercueil en gémissant des « Albert » répétés qui mirent l'assistance en émoi. Vous êtes allé quérir la double dose de Vallium, presque réglementaire maintenant, qui maintient le calme dans votre salon en annulant les crises de larmes et de désespoir, inévitables autrefois. La femme d'Albert a pu ainsi se replier dans un rôle silencieux, s'installer, impassible et distante, dans le fauteuil prévu et ne plus bouger. Situation dont elle profita indûment. Le premier jour passé, ce mutisme de la femme d'Albert s'avéra frustrant pour les parents du défunt. « Comment était arrivé l'accident? » « Quelle heure était-il? » « Est-ce vrai qu'il était méconnaissable? À moitié décapité? Le crâne d'Albert était peut-être vide? » « On ne sait jamais... les temps ont changé... » C'est ainsi qu'au bout de la deuxième journée, devant le silence entêté de la veuve, vous avez cru bon de satisfaire les membres de la famille. À peine aviez-vous donné quelques réponses que vous vous êtes vu cerner de questions additionnelles et vous en êtes venu à donner des détails qu'ordinairement vous gardez secrets, comme l'arrivée tardive du médecin sur les lieux de l'accident, longtemps après vous. Vous vous êtes lancé dans des descriptions macabres: l'oreille de l'accidenté qui pendait au bout d'un filament de peau ensanglantée, les dents qui jonchaient le plancher de la voiture, le morceau de cervelle qui reposait sur l'épaule droite du macchabée. Vous en étiez rendu à ces phrases honteuses et vous vous interrogiez secrètement, vous demandant comment vous en étiez arrivé à faire à l'assistance tant de concessions. Des parents touchants qui venaient de la Gaspésie... c'était votre excuse, la seule que vous pouviez vous avouer alors que votre motif véritable était d'attirer l'attention de la parenté sur l'habileté de votre travail même si le résultat était discutable, le succès relatif. Vous aviez réussi à modeler un beau visage, les traits étaient fidèlement reproduits, c'étaient bien les traits du visage d'Albert mais ce n'était pas Albert.

— Pour embaumer un accidenté, on est assuré du résultat quand on a tous les morceaux... avez-vous laissé tomber comme à regret. C'était l'ultime excuse que vous aviez trouvée pour expliquer que votre œuvre n'était pas parfaite.

Au moment précis où expirait votre phrase, la femme d'Albert, subitement se mit à pétiller. Un bouchon venait de sauter.

— Comment! On n'a pas retrouvé tous les morceaux?

— Il ne manquait que quelques détails, avez-vous répondu, subitement inquiet des conséquences possibles de vos propos indiscrets qui péchaient sûrement contre l'éthique professionnelle.

— Alors? On les a jetés aux poissons, dans la rivière ou à la poubelle?

Elle se leva tragiquement: elle était outragée.

— C'est une profanation, un sacrilège! On verra bien si on peut traiter un mort de cette façon! Je vais en parler à mon avocat... ça peut leur coûter cher, les misérables! Je saurai bien trouver le coupable.

Elle brandissait le poing. Vous avez craint un moment qu'elle ne vous pointe du doigt. Les parents, au début stupéfaits, un instant ébranlés, avaient retrouvé leur sens commun et observaient la femme d'Albert avec circonspection. Ce qui vous a rendu votre quiétude et la faculté de vous scandaliser à votre tour du comportement de cette femme redoutable qui monnayait son défunt à la pièce, aux morceaux, avec un cynisme qui vous étonna, même vous, exploiteur de la mort.

Heureusement les trois jours réglementaires de pleurs, d'épuisement, de chagrin et d'ennui eurent une fin convenable, c'est-à-dire que les coutumes furent respectées et qu'aucun incident regrettable ne risqua de ternir la bonne réputation de votre maison. Le lendemain, vous n'aviez pas fini l'inventaire des impressions multiples que vous aviez éprouvées devant les comportements excessifs de votre ancienne collaboratrice. Vous étiez encore indigné par certaines de ses attitudes mais, tout en spéculant sur l'état probable de sa fortune, vous n'étiez pas sans ressentir à son égard une admiration, mitigée peut-être mais réelle. Vous étiez perplexe et n'aviez pas encore décidé du jugement que vous deviez porter. Vous étiez appuyé à la baie vitrée de votre salon, fumiez votre cigarette au menthol (un autre mort était entré du matin) quand vous l'avez aperçue qui traversait la rue et venait dans votre direction. Elle avait remplacé son tailleur de cuir noir par un ensemble où prédominait un jaune provocant et se déplaçait, vous a-t-il semblé, comme le centre d'un cyclone, incontrôlable et dévastateur. Elle est entrée avec l'aplomb d'un propriétaire, vous a ausculté d'un regard froid. Vous vous êtes senti tout à coup envahi par la détresse de l'être inférieur.

— Vous allez bien? a-t-elle demandé.

Le style clinique qui accompagnait ces mots mettait à vif votre vulnérabilité. Vous rappeliez en vain votre orgueil en déroute.

Elle vous a commandé de vous asseoir pour qu'elle vous étale son projet. Elle avait tout prévu, tout calculé. Elle apportait le capital nécessaire à la nouvelle modernisation de votre salon funéraire. Ce serait extraordinaire: de l'ambiance, des décors, des services additionnels. Et sans aucun doute, très payant, assura-t-elle avec autorité. Et pourquoi pas agréable, minauda-t-elle ensuite en clignant de l'œil.

À ce moment, vous êtes devenu une espèce de chose molle que vous avez laissé tomber dans votre fauteuil et que vous entendiez répéter d'une voix étranglée: « Non, je ne veux pas, non, merci, ce n'est pas possible. »

— Ce que les hommes manquent d'envergure! Alors restez dans votre folklore!

Elle est aussitôt repartie et vous êtes demeuré assis dans votre fauteuil en pleine crise d'hilarité. Le sexe faible! répétiez-vous en riant, tout en étant conscient que vous n'alliez pas toujours si facilement échapper au danger.

L'initiation

Les noces se terminèrent à la fin de l'après-midi sans satisfaire aux exigences de la tradition. Comment peut-on préparer les réjouissances selon la coutume quand au départ le choix du conjoint n'en respecte pas les usages? Comment la fille d'un habitant de la vallée pouvait-elle épouser un gars des concessions sans perturber l'ordre établi! Je l'aime... je l'aime... avait répété inlassablement la jeune fille en guise de réponse aux objections de ses parents. Aucun raisonnement ne peut tenir bon si on ne lui oppose qu'un seul argument, aussi simple qu'irréfutable. Aucun mur ne résiste au mouvement répété du marteau-pilon.

Le cérémonial de la messe du mariage avait été observé, mais la noce eut été lamentable sans la ronde incessante des cruchons de rhum; l'alcool inhiba l'arrogance des uns, la timidité des autres et les réjouissances furent convenables. À la fin du repas, une complaisance mutuelle s'était même établie entre les deux familles. Ainsi, quand le marié, se prévalant du privilège particulier à ce jour, commanda qu'on lui attèle son cheval, personne ne fit remarquer que la tradition eût exigé que les gens de la noce soient conviés à souper chez les parents du marié. Au contraire, des cousins conciliants se précipitèrent à l'étable et l'attelage vint bientôt se ranger contre l'escalier avant de la maison. La mariée sauta dans la voiture. Le marié y était déjà, pendu aux cordeaux, retenant avec une fierté évidente une bête trop fringante qui piaffait, le cou courbé, le poil reluisant et menaçait à tous moments de se cambrer. Le marié jubilait, il n'avait pas vainement triplé les portions d'avoine. Il rabattit sur les genoux de la jeune femme la couverture en damas jaune frangée pendant que des jeunes gens s'affairaient à sangler, à l'arrière du boggie, le coffre de la mariée. À peine y étaient-ils parvenus, que l'équipage disparaissait dans un nuage de poussière. Les invités s'avancèrent jusqu'à la route mais durent attendre que la voiture se fût engagée dans la côte pour voir s'agiter les mains des époux. La bête escaladait le côteau dans un galop excessif, inconvenant. La parenté du marié rigola gaillardement tandis que celle de l'épouse était ahurie comme si elle assistait à un enlèvement. L'équipage disparut bientôt au détour du rang Vie-Content, ainsi nommé à cause des veillées endiablées qui s'y succédaient malgré les anathèmes du curé. C'était un rang simple, c'est-à-dire que les maisons étaient bâties d'un même côté, l'autre étant encore recouvert par la forêt. La route était calme, à demi-ombragée. Pus de badrage de famille! pensa le marié. Ce constat lui apparut dans toute sa portée. Il en fut subitement calmé et mit son cheval au pas. Une bête dont le harnais était bordé d'écume, qui battait des flancs et renâclait d'épuisement, victime immémoriale promue au rôle d'exutoire. Pauvre Tom, dit-il avec une sympathie spontanée en tournant vers sa femme le regard d'un conquérant et en refermant sur son genou, sa grande main velue. C'est lisse et doux comme un caillou de rivière. Il souriait largement. Tu as des dents de loup... roucoula-t-elle. Ils s'en allèrent ainsi en échangeant des images de leur vie quotidienne. Elles leur servaient d'écran pour amoindrir le choc de leurs émotions nouvelles. Puis, il tira le cruchon de rhum qu'un cousin avait glissé pour eux sous le siège de la voiture. Il prit plusieurs longues gorgées pour effacer au plus vite le souvenir des humiliations qu'il avait essuyées avant de réussir à conquérir la jeune fille de la vallée. Il se détendit bientôt tout à fait et la jeune femme retrouva celui qu'elle avait aimé dès leur première rencontre.

Elle le revoit dans l'encadrement de la porte de la cuisine, l'œil noir, les poignets larges, le cou trapu et une apparence de force plus rassurante que brutale grâce à cette tendresse franche qui éclairait la prunelle de ses yeux. Il était venu livrer les poulets commandés par ses parents, une épidémie de poux ayant vidé leur poulailler. À partir de ce jour, ils furent fascinés l'un par l'autre, éperdus de désir et d'amour.

Ils avaient cinq milles à parcourir. Le niveau du cruchon de grès était plutôt bas quand ils aperçurent la maisonnette de bardeaux bruns qu'ils allaient dorénavant habiter. Le jeune homme avait peint en blanc les favoris qui ornaient les fenêtres. C'est plus gai, expliqua-t-il, je ne voudrais pas que tu t'ennuies. Le voisin étant venu faire le train du soir, il n'eut qu'à dételer le cheval et à rentrer le coffre dans la maison. Et à finir ça, s'exclama-t-il en renversant la cruche au-dessus de sa bouche grande ouverte. Quand il n'en put plus tirer une goutte, il enleva sa blouse, sa chemise blanche et s'ébroua dans la bassine à fleurs bleues près de la pompe à l'eau dans l'évier de la cuisine. Et la jeune femme alla allumer la lampe à l'huile de la chambre à coucher. La flamme se refléta dans le miroir de la commode, étira l'ombre mouvante du lit jusqu'au mur, donna aux couleurs de la

courtepointe un châtoiement doré. Comme on ne voit les choses qu'à travers le prisme de son âme, elle trouva à cette chambre austère, meublée pauvrement, un charme qui l'émut. Couche-toi, dit-elle à son mari, je reviens tout de suite... Et surtout n'éteins pas. Son coffre était resté dans la cuisine laquelle occupait la moitié du premier plancher. L'autre partie comprenait deux pièces: l'une servait de salon, l'autre, de chambre à coucher. On finirait le deuxième étage avec le temps, selon le nombre encore imprévisible des enfants. Si le premier bébé ne se présentait pas trop tôt, on aurait peut-être la chance de meubler le salon au cours de l'année.

Elle n'eut qu'à relever le couvercle de son coffre; sa robe de nuit était sur le dessus, blanche, garnie de dentelle, dernier vêtement liturgique de la cérémonie. Elle l'endossa avec une ferveur anxieuse, elle était fière de la beauté du vêtement mais inquiète du rôle dont il était le symbole. Elle dénoua sa chevelure et s'avança, sur la pointe des pieds, vers la chambre à coucher. Elle se trouvait grande allure, se demandant, malgré son angoisse ou peut-être à cause d'elle justement, en riant pour se rassurer, si elle ressemblait à une postulante, une première communiante ou une apparition? Plus elle approchait de la chambre, du lit conjugal et du mari tout-puissant, plus elle s'étonna de la transformation de ses sentiments; son appréhension cédait la place à une émotion nouvelle qui l'envahissait peu à peu. Elle était surprise et réconfortée à la fois de se sentir tout à coup plus coquette que pudique, plus curieuse que craintive. Elle alla s'encadrer dans l'embrasure de la porte, se sentant et le courage et l'envie d'affronter ce jeune homme, son mari. Un inconnu, se dit-elle calme et résolue, l'acceptant en même temps que l'étrangère qui s'éveillait en elle et découvrait des sensations inconnues jusqu'à ce jour. Tout de même, quand elle appela le jeune homme pour attirer son attention, le ton de sa voix était étudié et incertain. Il ne répondit pas. Michel, répéta-t-elle avec un accent pathétique. Elle s'immobilisa. Est-ce possible? murmura-t-elle surprise et déconcertée. Le jeune homme dormait comme un enfant, les poings fermés à la hauteur de son visage. Elle s'avança jusqu'au pied du lit, l'observa attentivement et oublia aussitôt l'état d'exaltation et d'inquiétude dans lequel elle s'était trouvée, pour constater tout simplement qu'il était beau ce mari en devenir, éclairé ainsi par les reflets dorés de la lampe. Elle n'était ni humiliée, ni fâchée mais confuse qu'il ne l'eût pas attendue avant de s'endormir. Elle n'était pas frustrée non plus, son consentement anticipé se rattachait à un désir si imprécis. Au lieu du maître qui devait l'affranchir, elle découvrait un enfant endormi. Peut-être avait-il plus besoin d'elle, qu'elle de lui, se demanda-t-elle. Il lui semblait si vulnérable tout à coup. L'avenir lui apparut imprévisible. Elle se glissa doucement entre les draps qui tenaient enfermées comme dans un nid, une senteur particulière et une chaleur tiède bienfaisante. Rassurée par cette impression de bien-être, elle s'endormit aussitôt.

L'horloge de la cuisine sonnait trois grêles coups quand elle s'éveilla subitement. Elle n'eut pas besoin d'ouvrir les yeux ni de tendre le bras; elle devina le vide froid dans l'autre moitié du lit. L'époux était disparu. Elle était seule. Seule dans cette maison qui lui parut subitement hostile. Le tic-tac de l'horloge accentua sur-le-champ le silence lugubre de la nuit. Elle se précipita hors du lit et, sans réfléchir, sortit sur la galerie comme on se sauve. Mais elle demeura là, impuissante et désemparée. Appuyant sa tête au poteau du garde-soleil, elle pleura doucement, sans raison précise, ahurie, dans l'impuissance où elle se trouvait de comprendre les mystères de cette nuit, préfiguration tragique des énigmes de la vie. Les champs autour de la maison semblaient faire le gros dos, encerclés qu'ils étaient par l'inquiétante masse noire de la forêt. Et la lune à la dérive glissait d'un nuage à l'autre créant ainsi une alternance de ténèbres denses, d'ombres bougeantes, de lueurs diaphanes d'une clarté mince et froide. Pendant combien d'heures s'éterniserait encore la nuit... sa nuit de noces... Elle ne bougeait pas, ses deux bras enroulés au poteau de la galerie. Devait-elle retourner s'enfermer dans sa chambre ou risquer de s'enfuir? Elle n'avait qu'à descendre l'escalier, à suivre l'allée qui conduit à la route et s'enfonce dans le noir opaque de la nuit. Au-delà, c'était la maison de ses parents, l'inaltérable réconfort de leur tendresse, les certitudes indestructibles de l'enfance. Comme si on pouvait remonter le courant de la vie, comme si chaque fait, chaque geste n'était pas un moment d'éternité qui s'enchaîne à tous les autres d'une façon inexorable.

Elle gémissait doucement, la tête appuyée au poteau du garde-soleil, elle gémissait presque tendrement comme si elle se fût bercée dans son chagrin, un chagrin obscur comme sont ceux de l'adolescence, qui couve douloureusement un espoir informulé, donnant à cette tristesse un goût suave qui ressemble à la volupté. Elle allait retrouver tout simplement le besoin primordial qu'elle avait de dormir quand elle fut déchirée par un cri terrifiant qui était le sien. Un loup démesuré avait bondi sur la galerie. Une bête énorme, toute noire, rugissante, qu'elle n'avait ni vue ni entendue venir. Avant qu'elle n'eût le temps de réaliser ce qui lui arrivait, la bête s'était jetée sur elle, tentait, à coups de gueule, de lui arracher sa robe de nuit pendant qu'elle hurlait, se débattait et

74

sombrait dans l'épouvante, la terreur, l'inconscience, la mort peut-être. Heureusement, la lune apparut entre deux nuages, inonda la galerie d'une lumière crue qui vida la scène magiquement. Elle se retrouva seule, grelottante et exténuée, retenant à deux mains contre elle les lambeaux de son vêtement. Elle se précipita dans la maison, courut se réfugier au creux du lit et tomba endormie comme elle se serait évanouie. Après le plus effroyable cauchemar, on préfère en risquer un second en se plongeant de nouveau dans le sommeil plutôt que de subir éveillé les affres du dernier.

Elle se réveilla à la pointe du jour au moment où les premières lueurs blafardes se coulaient par la fenêtre. Peu à peu, elles diluèrent l'obscurité de la chambre, redonnant à chaque chose son identité. La jeune femme réussit à reconnaître le lieu où elle se trouvait en remontant le chaînon des dernières heures de sa vie, de la terreur ressentie sur la galerie à la félicité de ses épousailles. Elle sursauta aussitôt, se retourna vers l'autre moitié du lit; elle était de nouveau occupée. Se soulevant sur son coude, elle se pencha vers son mari pour mieux l'observer dans la pénombre de la chambre.

Il dormait étendu sur le dos, les bras allongés tout au long de son corps, les cheveux plaqués sur son front par la sueur comme s'il s'était endormi exténué. Ce qu'il est beau, pensa-t-elle en prenant sur-le-champ la résolution de comprendre au plus tôt le mystère de cette nuit afin que rien ne les séparât plus. Elle se pencha, esquissait le geste de dégager le front de son époux quand elle aperçut qu'il tenait, entre ses dents serrées, un morceau de baptiste blanche, lambeau de sa robe de nuit. Elle eut un gémissement d'épouvante. Il ouvrit les yeux. Son regard était si pathétique et si implorant qu'elle comprit en même temps qu'elle reconnut, au front du jeune homme, la tache caractéristique des loups-garous. Elle calcula aussitôt qu'il lui restait quelques minutes à peine pour délivrer l'âme condamnée de son mari avant le lever fatidique du soleil. Elle saisit le chandelier de cuivre qui était sur la table de nuit, l'éleva au-dessus du jeune homme et, au risque de le blesser, elle le frappa au front comme elle savait devoir faire, comme elle l'avait appris par les récits entendus au cours des veillées. La tache au front du jeune homme éclata comme une fleur de givre et s'effaça, ne laissant qu'un mince filet de sang qui descendit se perdre dans l'arcade sourcilière. Merci de m'avoir délivré, murmura le jeune homme en la prenant dans ses bras, en la serrant contre lui et en la couvrant de son corps moite et frémissant. La jeune femme, consentante, s'abandonna aussitôt. Elle n'éluciderait pas tous les mystères de la vie, c'est certain, mais le plus important, pensa-t-elle, lui était révélé.

La Rolls-Royce de madame Clark

J'éprouvais un plaisir ambigu mais habituel en même temps qu'une émotion théâtrale en arrivant à l'office. « *Tommy, we go out with the Rolls-Royce this afternoon.* » « *Yes,* mademoiselle Parent », répondait-il aussitôt d'une voix altière en se dressant. Il portait sa livrée de chauffeur avec une élégance mondaine et une rigueur militaire. Cet amalgame insolite avait pour moi un charme exotique; familier aussi, puisque j'avais toujours imaginé ainsi les Anglais. Tommy était arrivé de Londres en même temps que la Rolls-Royce comme s'il était une partie intégrante de la voiture. Ce qui explique sans doute l'air désabusé et méprisant qu'il affichait au volant des autres voitures de Madame, toutes de marque américaine. La Chrysler servait pour les longues randonnées et la familiale pour promener les chiens. Une Rolls-Royce s'apparente à un manteau de vison dans la hiérarchie des choses à acquérir mais ne posséder que ces deux somptuosités suppose une fortune trop récemment acquise et témoigne d'un manque certain de savoir-vivre. Tel n'était pas le cas de madame Clark, son immense fortune lui venant de son père, qui l'avait gagnée aux Indes Occidentales, disait-on. Gagnée... on parle beaucoup par euphémisme dans ces milieux.

Quand Madame me dépêchait dans les magasins pour ses achats personnels ou les besoins de la maison, elle m'autorisait toujours à prendre la Rolls-Royce. Pour mes propres courses, elle me la prêtait aussi. Elle insistait même, allant jusqu'à téléphoner à l'office, pour commander à Tommy de sortir la superbe limousine. « Je ne voudrais pas qu'il s'imagine que vous abusez de ma générosité », disait-elle. Comme si on pouvait exploiter Madame. Aucun employé ne s'y trompait. Ses égards envers nous obéissaient à d'autres mobiles qu'à ceux de la bonté. Ainsi, à propos des courses, mon plaisir l'intéressait parce qu'il ajoutait à celui qu'elle éprouvait en participant à une imposture. J'ai mis beaucoup de temps à saisir la subtilité des pernicieux amusements de Madame. La Rolls-Royce était la voiture d'apparat qui lui tenait lieu d'emblème et d'armoiries. Je comprenais mal au début la délectation qu'elle semblait éprouver en écoutant le récit détaillé que je devais lui faire de mes randonnées. Ces courses me plaisaient parce qu'elles s'apparentaient à un conte de fées dont j'étais la Cendrillon. Tommy, soit qu'il voulût m'intimider ou être mon complice, s'inclinait en ouvrant la portière et m'aidait à monter avec la déférence servile des serviteurs européens. Tout au long du parcours, il répondait laconiquement aux paroles engageantes que je lui adressais par le minuscule micro qui nous reliait l'un à l'autre. Il s'obstinait à tenir fermée la glace à coulisse derrière son siège de chauffeur. Je me collais dans la banquette coussinée douce et souple comme une peau de gant. Je ronronnais d'une satisfaction voluptueuse malgré les incidents de parcours qui par moments brisaient mon plaisir. Nous roulions lentement. Tommy conduisait avec la solennité requise. Moi, je prenais une posture digne et regardais d'un air absent les badauds qui s'inclinaient avec curiosité et convoitise pour m'observer quand la voiture s'immobilisait à un carrefour. Je conservais une attitude indifférente et hautaine mais intérieurement je rageais devant l'imbécilité de mes semblables prêts à se pâmer d'admiration et d'envie à cause de la Rolls-Royce! J'avais envie subitement de m'élancer hors de la voiture en hurlant: je ne suis qu'une petite infirmière de Dorchester comme je pourrais être un politicien corrompu ou un membre de la pègre! Je n'en faisais rien. Je continuais à me prélasser sur le siège arrière de la limousine. Je contrôlais ma colère jusqu'aux boutiques de luxe où j'allais. Mon indignation se changeait aussitôt en agressivité! J'étais arrogante avec le personnel. Je m'y autorisais allégrement, soutenue par des souvenirs qui se levaient à mon appel dans toute leur acuité. Je retrouvais intacte l'amertume de la campagnarde que j'avais été, fagotée et timide, que l'arrogance de semblables commis avait mortifiée autrefois. Je m'approchais du comptoir avec désinvolture et faisais porter au compte de madame Clark un vêtement de mauvais goût pour entendre la vendeuse, obséquieuse, vanter mon choix. Je demandais alors des objets hors de prix ou introuvables. Je m'emportais, m'indignais qu'on ne puisse me les procurer aussitôt, manifestais mon dépit et repartais en laissant les commis confondus.

Bernard-l'hermite de nature, j'éprouve une délectation étrange à vivre dans la peau d'un autre. J'y découvre des sentiments qui, autrement, me seraient étrangers. J'acceptais les courses en Rolls-Royce comme je m'oblige à écrire. Pour mieux comprendre les êtres, réfléchir plus aisément sur leur condition, récupérer des sensations anciennes, en éprouver des nouvelles. Mais je me demande si j'ai réussi à percevoir avec justesse les desseins et la nature profonde de madame Clark. Nos ruisseaux réciproques couraient en parallèle, aussi différents que si l'un fût venu de la mer et l'autre de la montagne. De notre hérédité et de notre enfance, résulte un canevas initial sur lequel nous échafaudons toute notre existence. Madame faisait partie de la fraction minimale de notre population; moi, je me confondais dans la masse du plus grand nombre.

Je suis née à Saint-Thècle de Dorchester. Déjà le citadin profite de ce détail pour s'octroyer une supériorité. Nous habitions un petit village blotti au pied d'une majestueuse montagne. Nous formions une famille assez particulière puisque nous étions cinq filles aussi belles l'une que l'autre. Je le dis en toute simplicité puisque cet attribut nous fut préjudiciable. La beauté comme le succès est souvent perçue comme une bravade ou une menace. Mon père était maître de poste ce qui, en pratique, signifiait que nous avions sacrifié une pièce de la maison pour y installer un comptoir. Celui-ci était surmonté d'un grillage léger, amovible et ressemblait au confessionnal portatif que le curé installait entre la balustrade et le banc-d'œuvre pendant les retraites paroissiales afin que certains péchés, inavouables aux prêtres de la cure, puissent être confessés au prédicateur itinérant. La comparaison est plus pertinente que vous ne croyez parce que justement nous fûmes accusées, nous les jeunes filles du bureau de poste, de divulguer le secret professionnel. Nous étions primesautières et joyeuses. Nous éprouvions un plaisir, peut-être exagéré je l'avoue, à essayer d'identifier les lettres, par leur provenance ou leur destination ou certaines calligraphies qui nous étaient familières. Les jeunes filles du village, qui nous confiaient leurs missives, nous imaginèrent en concurrentes, les femmes mariées, en espionnes. Des plaintes furent envoyées au Ministère des Postes. On nous accusait de décacheter les lettres durant la nuit pour nous complaire, nous émoustiller et plus tard nous servir de leur contenu pour d'éventuels chantages. Il en résulta une commission d'enquête. La signature du gouverneur-général au bas du document officiel nous jeta dans la perplexité et le désarroi. Heureusement que le jeune avocat chargé du travail bientôt nous rassura. L'enquête se résuma, pour mes sœurs et moi, à recevoir sa visite. Il nous questionna durant quelques veillées qui furent charmantes. Il se convainquit de notre innocence, nous vanta notre beauté, essaya de profiter et de l'une et de l'autre. Son insuccès, loin de le blesser, sembla l'attendrir. Le résultat de son enquête nous était favorable. Il conclut que les victimes, c'étaient nous. La solution qu'il nous proposa fut étonnante, un peu simpliste mais irréfutable. Les victimes et les bourreaux sont complémentaires. Leur annihilation découle logiquement de leur séparation. C'est pour donner suite à ce verdict un peu sommaire que je suis descendue à Québec y suivre un cours d'infirmière. Plus tard, comme une libellule attirée par la lumière, je suis entrée au service de madame Clark pour y découvrir un volet inconnu du monde. Heureusement que ma patronne est décédée, je serais demeurée près d'elle trop longtemps. Par paresse ou par complaisance, je ne sais pas.

Nous étions trois infirmières à nous relayer nuit et jour. Depuis son veuvage, madame Clark souffrait d'une très légère maladie chronique qui, par nous, lui tenait lieu de compagnie. Moi, j'étais de garde de huit heures du matin à quatre heures de l'après-midi ce qui multipliait mes fonctions. J'étais lectrice, partenaire au cribbage, confidente et complice. Il est peut-être exagéré de parler de complicité, disons plutôt de collusion. Je devais participer à la mise en scène de plusieurs jeux cruels et partager son plaisir: le divertissement favori de madame Clark était de se payer la tête des gens.

Grâce à son manoir spacieux, ses millions, ses collections particulières, ses deux mariages avantageux et ses voyages autour du monde, elle avait atteint un rang social indiscutable. Elle pouvait ainsi se dispenser de suivre le cérémonial nécessaire à ceux qui veulent afficher leur haute condition. Elle se permettait au contraire, de transgresser ouvertement les lois établies qui régissent la haute société. Elle avait même l'outrecuidance d'aller à contre-courant des modes. Elle pratiquait avec recherche et habileté ce snobisme particulier, sophistiqué, qui consiste justement à fouler aux pieds, avec ostentation, les opinions, les manières d'être et d'agir des milieux reconnus de la belle société. Elle affichait une modestie outrageante dans sa tenue vestimentaire, le choix de ses bijoux et la marche de sa maison. Nous ne portions pas d'uniforme; les cuisinières et la femme de chambre non plus. Elle recevait beaucoup mais à la façon des princes qui autrefois se faisaient donner la comédie. Pour cette raison, elle invitait surtout les snobs et les parvenus. Elle m'avait renseignée très tôt sur la façon de découvrir les goûts du jour, afin de mieux les profaner, comment se servir de la médisance et de la calomnie sans attirer l'attention et encourir le blâme, comment évaluer le standing, la mentalité des riches d'après les vêtements et les bijoux. Certaines modes nouvelles lui rappelaient des coutumes africaines, me confiait-elle, moqueuse. Celle des gourmettes, des breloques en or l'intéressait particulièrement. Elle était capable, m'assurait-elle, d'évaluer la fortune d'un chef de tribu aussi bien que celle d'un homme arrivé, par le volume et le nombre d'amulettes dont leurs femmes étaient parées.

Je devais assister aux réceptions, il va de soi, afin d'être en mesure, le lendemain, de faire les commentaires appropriés. Par la surenchère de nos méchancetés, nous atteignions vite à un état de volupté un peu pervers. Je m'associais à ces jeux avec une facilité surprenante qui n'allait pas sans éveiller en moi quelques remords. Je m'absolvais facilement en me convainquant que ce sentiment de culpabilité qui m'assaillait était le prix que je devais payer pour agrandir le champ de ma culture. La connaissance des êtres, l'étude de leur comportement est le commencement de la sagesse. J'étais passée du monde de Saint-Thècle à celui de madame Clark comme aujourd'hui on change de matières à options dans les Facultés des Sciences humaines: sans motivation, mais avec une curiosité paresseuse qui ne requiert pas d'effort personnel.

Je ne pouvais avoir meilleur pédagogue que ma patronne. Elle était lucide et cynique. À l'enseignement théorique, elle joignait les travaux pratiques me recommandant plus particulièrement en certaines occasions d'observer la tête de ses amies. Elle avait facilement repéré, il va de soi, celles qui la courtisaient pour profiter des retombées de sa fortune. À celles-là justement elle rapportait du toc de ses voyages, alors qu'elle comblait une simple connaissance. Ou elle prenait un malin plaisir à servir un grand cru dans un verre commun et un vin médiocre dans une coupe d'or ciselée. Impassible, tapie comme un chat, elle guettait les réactions. Tout le monde tombait dans les pièges, évidemment, victimes ridicules de ces quiproquos: le Chambertin millésimé passait inaperçu alors qu'un bourgogne anonyme était vanté. Et madame Clark triomphait: vous voyez, disait-elle, personne ne veut plus assumer ce qu'il est, dire ce qu'il pense. Nous assistons à une escalade vaine de fausses ambitions. La médiocrité, mes enfants... la médiocrité!

Depuis vingt-cinq ans qu'il était à son service, Tommy me semblait avoir, de madame Clark, une très juste opinion. Nous devions lui être reconnaissants, disait-il, qu'elle n'éveille pas en nous de vaines espérances, ces leurres qui obnubilent le *self-defense,* ajoutait-il, en anglais il va de soi. Aussi quand elle est décédée, les employés n'ont pas été surpris de ne recevoir ni legs particulier, ni le moindre petit souvenir. Nos gages ont été réglés avec minutie. Nous fûmes traités correctement après sa mort comme durant sa vie. Chacun son job et son rang, sans bavure ni compromis. Les sentiments faussent les idées et les situations, a affirmé Tommy quand le manoir fut envahi par les héritiers accompagnés des hommes de loi, les antiquaires camouflés en amis et les amis transformés en antiquaires. C'est très bien ainsi, ajouta-t-il avec son flegme sans rémission. Aussi je n'ai pas tout de suite compris quand je l'ai aperçu qui pleurait, dans le garage, appuyé sur la Rolls-Royce. Une certitude n'est jamais absolue en ai-je conclu. Tommy gardait, caché dans un repli secret de son âme, l'espoir que peut-être il hériterait de la voiture. « Tommy, la logique sans sentiments, c'est comme une ossature sans chair dessus... » Il m'a regardée confus et désolé sans doute de ne pouvoir me répondre. Il était désemparé me sembla-t-il d'éprouver ce chagrin et interdit de découvrir combien il était attaché à cette voiture qui personnifiait son pays et son métier. Son isolement aussi me parut dramatique. Depuis vingt-cinq ans qu'il était au pays. jamais il n'avait essayé d'apprendre le français. J'avais tout à coup pour lui la pitié que l'on ressent pour un infirme.

« *Tommy, we go out with the Rolls-Royce this afternoon, I have the authorization.* » Je suis montée en avant avec lui. Il a débrayé après avoir donné un coup de pouce à sa casquette de chauffeur. Une mèche de cheveux est tombée sur son front. C'est ainsi que nous sommes partis pour Saint-Thècle où je retournais, convaincue que j'étais maintenant de connaître la vraie valeur des êtres et des choses. Non, ce n'est pas juste, disons que je n'étais que lavée de mes préjugés et de mes illusions. J'étais prête pour commencer à neuf. Tommy, au long du parcours, m'a regardée avec tendresse m'a-t-il semblé. Il me souriait à travers un voile de tristesse. Je regrette souvent de ne l'avoir jamais revu.

L'avancement

— Inspecteur des Caisses Populaires... vous êtes promue, mademoiselle Bellerose, au poste d'inspecteur...

Ou inspectrice... se demanda-t-il, étonné de n'avoir pas prévu ce détail et agacé d'avoir à en décider sur-le-champ. Inspectrice...? Pourquoi féminiser son titre puisqu'elle veut se conduire en homme? Inspecteur, répéta-t-il à haute voix d'un ton maussade. Il se contrôla aussitôt.

— Excusez-moi de trouver cette nomination un peu surprenante, ajouta-t-il onctueux.

Révoltante était le mot qui avait jailli des profondeurs de son inconscient. Mais il avait aussitôt rejeté ce mot inavouable. Il laissa l'étonnement recouvrir son regard comme de l'huile s'étend à la surface d'un étang.

Mademoiselle Bellerose, consciente des sensations extrêmes qui agitaient son vis-à-vis, baissa discrètement les paupières et fixa, distraitement sembla-t-il, le buvard rouge du pupitre sur lequel pianotaient nerveusement les doigts gras et courts du gérant de district. Elle n'aurait jamais pensé qu'il puisse être si irrité de sa nomination au poste d'inspecteur.

— Vous êtes la première femme...

Le téléphone, heureusement, sonna. Le gérant fit pivoter son fauteuil, répondit brusquement, profitant de la victime qui s'offrait innocemment au bout du fil pour se défouler. Il se libère ainsi d'une colère malséante pensa mademoiselle Bellerose. Elle en fut rassurée ce qui lui fit recouvrer sa combativité. La première femme... Vous êtes la première femme... Pensait-il le lui apprendre? Depuis deux ans déjà qu'elle convoitait ce poste, deux ans qu'elle jouait d'intrigues et de conspiration! Elle pouvait sans remords confesser ce complot puisque ses aspirations personnelles se confondaient avec celles du mouvement féministe auquel elle appartenait. Comment départager parmi les motivations qui engendrent les grandes causes les intérêts supérieurs des appétits personnels? Les uns se nourrissent des autres, réciproquement. Leur équation est difficile mais un fait demeure certain: travailler au destin collectif permet aussi une certaine ambition personnelle, se concéda-t-elle afin que sa vanité triomphante devienne une satisfaction permise. Elle pensa qu'elle n'avait aucun intérêt à triompher d'une victoire trop personnelle. Il valait mieux qu'elle utilisât les armes familières aux femmes: l'astuce et la modestie.

Le gérant venait de raccrocher le récepteur.

— Où en étions-nous, déjà? demanda-t-il désinvolte et supérieur.

Il avait repris possession de ses moyens. Il joignit ses grasses mains et les posa, objets obscènes, sur son ventre rebondi. Puis il toisa la jeune femme de la tête aux pieds.

— Vous n'êtes pas tout à fait le type habituel d'un inspecteur de livres, conclut-il à haute voix en pensant qu'elle était provocante avec ce tailleur faussement austère, ces bas trop fins et ce chignon pesant qui lui faisait relever le menton comme si elle offrait son visage. Valérie Bellerose ne broncha pas. Est-ce qu'on s'est enquis de la longueur de votre pénis avant de vous nommer gérant? se retint-elle de lui demander.

— Nous disions donc...

— Nous répétions... sourit-elle malicieuse.

— Vous êtes la première femme...

— J'espère que les comptables régionaux n'en seront pas aussi affectés.

— Moi? Mais j'en suis ravi...

Il souriait mais gardait sa tête inclinée vers son épaule comme font les oiseaux perplexes devant une proie qu'ils ne peuvent identifier.

— Je ferais peut-être mieux d'avertir.

Comme elle paraissait surprise, il lui apprit qu'on les envoyait toujours à l'improviste visiter les succursales régionales...

— Vous pouvez ainsi nous faire un rapport additionnel.

— Je n'aime pas jouer les espions, objecta-t-elle.

— Je vous demande de vous conformer aux habitudes, c'est tout, dit-il autoritaire en se levant. Mettre fin à l'entrevue était la meilleure façon d'interrompre la conversation.

— Bonne chance, mademoiselle, bonne chance, dit-il solennel et hypocrite en lui tendant la main.

Conditionnée par atavisme à être humble et soumise, la jeune femme saisie se leva aussitôt, remercia et sortit pour se précipiter vers le parc de stationnement. Elle mit en marche sa voiture neuve et fila vers le pont de Québec, en direction de Saint-David, comme un lièvre détale. Elle mit plusieurs milles à réaliser l'étendue de son énervement. Elle en fut surprise puis humiliée et décida, comme elle approchait du bois de Sartigan, de s'arrêter quelques instants pour conjurer l'appréhension injustifiée mais réelle

qui l'envahissait. Elle rangea sa voiture sur l'accotement, en descendit et se calma en retrouvant la senteur âcre de la terre printanière mêlée au parfum épicé des fleurs de prunier. Des chatons verts tremblaient aux branches des peupliers et l'ourlet renversé des sillons de labour luisait d'humidité. Elle pensa que l'ail douce devait fleurir dans le sous-bois de l'érablière qui fermait l'horizon. Appuyée à la portière de sa voiture, elle frôla le paysage du regard comme on caresse de la main un velours. Mais au fond de cette paix retrouvée, se glissa, comme une couleuvre dans une roseraie, un doute affreux. Une angoisse soudaine l'envahissait. La plénitude harmonieuse de cette nature étalée sous ses yeux, ajoutait, par opposition, un élément nouveau au souvenir pénible qu'elle gardait de son entrevue avec le gérant. Elle allait examiner avec lucidité, pensa-t-elle, l'opportunité de l'agressive concurrence des sexes... Que gagneraient les femmes à accéder à ce Pouvoir exercé si désastreusement par les hommes? Elle commençait à s'interroger sur l'orientation de son engagement politique quand passa un automobiliste, cramponné au volant de sa Chrysler qui klaxonnait d'une façon hystérique. Valérie Bellerose avait un tempérament inflammable; le feu qui l'embrasa n'était pas prévu.

Je vais lui montrer à ce maniaque... se dit-elle indignée en sautant dans sa voiture pour se lancer à la poursuite de la prétentieuse automobile américaine. Elle la rattrapa aussitôt, retenue par un camion citerne. Au lieu de doubler par l'accotement de la chaussée comme lui permettait sa petite voiture, elle décida subitement de rester derrière la Chrysler. Elle avait le goût soudain de s'amuser. Quand l'automobiliste put de nouveau accélérer elle fit de même en s'efforçant de maintenir entre les deux véhicules une distance toujours égale comme si un lien invisible les tenait attachés l'un à l'autre. Ils traversèrent ainsi le premier village. Elle s'étonna d'oublier si facilement les inquiétudes pourtant réelles, inhérentes à sa nouvelle fonction. Au carrefour du deuxième village, un feu de circulation les immobilisa. Il ajusta son rétroviseur. Elle y aperçut des yeux interrogateurs et amusés. Au feu vert, ils démarrèrent au même instant. Elle trouva si piquante cette façon imprévue de flirter que, sans trop y réfléchir, elle s'arrêta aussi au restaurant de l'*Étoile rouge*. Le voyage exhalait subitement un parfum d'aventure.

— C'était gentil de me tenir compagnie, dit l'homme moqueur, après qu'ils eurent pris place au comptoir du restaurant.

— Moi, vous tenir compagnie?

Elle rit, faussement candide en assurant qu'elle voyageait souvent de cette façon: en convoi pour ainsi dire. Cette manière demandait si peu d'efforts et d'attention qu'elle pouvait en même temps songer à ses affaires... Ces derniers mots étaient fortement appuyés. Valérie Bellerose voulait attirer l'attention de son interlocuteur sur son emploi pour atténuer l'impression qu'elle lui donnait peut-être d'être une racoleuse.

— Parce que Mademoiselle travaille! s'exclama-t-il moqueur. Elle vend de la dentelle?

En guise de réponse, la jeune femme toisa l'homme d'un regard qui eut l'éclat d'une lame bien aiguisée.

— Faisons la paix, voulez-vous? reprit aussitôt ce dernier. Prenons un gin.

Elle acquiesça avec soulagement. Ils découvrirent bientôt qu'ils allaient tous les deux à Saint-David. Ils s'amusèrent de leur convoi prédestiné et portèrent un toast en son honneur. Un premier prétexte étant trouvé, les autres se seraient multipliés avec beaucoup de facilité n'eut été une question, banale en apparence, mais qui brassa les dés de façon imprévue.

— Puis-je vous demander, mademoiselle, ce que vous allez faire à Saint-David?

Il envisageait déjà d'inscrire la soirée à venir au bilan de sa journée dans la colonne des victoires galantes. Sa présomption était apparente, sa suffisance s'encanaillait.

— Bien sûr que vous pouvez m'interroger, répondit mademoiselle Bellerose avec empressement, ravie de pouvoir enfin exhiber sa promotion. Je suis inspecteur des Caisses... Je vais à Saint-David pour l'inspection annuelle.

En articulant ces mots d'une telle importance, elle se retourna vers son interlocuteur afin de recevoir des éloges mérités, que personne encore ne lui avait offerts. Que s'était-il passé, grands dieux! L'homme semblait complètement dégonflé, prêt à devenir agressif, elle le sentit aussitôt.

— On vous attend à Saint-David? maugréa-t-il.

— Je ne sais pas, mentit-elle, pressentant sous la question qu'on lui posait la violence d'une accusation.

— Vous le sauriez si vous aviez eu la précaution de prendre rendez-vous!

— Je ne vois pas monsieur de quel droit vous vous mêlez de mes affaires.

— Je me mêle de vos affaires parce qu'elles sont les miennes aussi.

— Ah?... Je ne comprends pas.

— Je suis, mademoiselle, le gérant du bureau de Saint-David.

Elle papillota des paupières d'une façon à peine perceptible qu'il ne remarqua pas heureusement. On m'apprendra à jouer l'aguicheuse motorisée! gémit-elle intérieurement. L'instant suivant, elle se sentit envahie par un fou rire qu'elle contrôla avec beaucoup de difficultés. J'en aurai pour une soirée à faire rigoler les amies, pensa-t-elle, toute une soirée, c'est certain, mais pour l'instant, quel désastre... Me voilà contrainte à doubler d'astuce et de zèle... Ces réflexions passèrent en elle en éclairs successifs. Déjà elle s'était ressaisie.

— Avez-vous pensé qu'en arrêtant prendre un café vous preniez une chance de me faire attendre? dit-elle moqueuse.

— Je ne peux pas vous faire attendre puisque n'ayant pas de rendez-vous, je ne vous attends pas.

Ils furent contraints de rire mutuellement de leurs reparties mais, déconcertés, ils quittèrent le restaurant.

— Je peux continuer à vous servir de pilote, dit-il malicieusement en refermant la portière de sa voiture.

— Je ne demande pas mieux, répondit-elle en admirant cette façon élégante dont il camouflait sa contrariété. Elle ne se trahissait que dans la raideur du geste et un tic subit de la bouche. Il est vraiment agacé, lui aussi, constata-t-elle amèrement.

— Je vous attendrai à mon bureau.

Ils étaient repartis, lui devant, elle derrière.

Et si je le devançais, pensa-t-elle stimulée tout à coup par une folle et subite fureur. Elle se cala sur son siège, se concentra, contrôla de justesse sa peur, oublia sa prudence naturelle et doubla la voiture du gérant, le regard fixe, le visage impassible, propulsée par ce désir immodéré d'abolir sur-le-champ ce mythe tenace et sans fondement justifié de la supériorité du mâle au volant.

Quand le gérant arriva à sa succursale, mademoiselle Bellerose était assise en face de son pupitre dans l'attitude d'une femme calme et disponible. Tiraillé entre sa vanité personnelle et son devoir, le gérant énervé laissa échapper maladroitement:

— Félicitations, vous conduisez comme un homme.

— Voilà un compliment de taille!

Il sentit l'ironie, mesura l'ampleur de sa gaffe et pour l'annuler offrit à la jeune femme le déjeuner avant de commencer la vérification des livres.

— Merci, répondit-elle, suave. Le café de tantôt me suffit. De toute façon, je travaille mieux à jeun.

— Très bien, dit-il sèchement, je fais venir le comptable. Elle regretta aussitôt son zèle intempestif. Elle venait de se condamner à un rythme de travail imprévisible et probablement insoutenable.

Vers les quatre heures de l'après-midi, elle était devenue une pauvre chose tenaillée de points douloureux: deux aux creux des orbites, un entre les omoplates particulièrement cuisant. À ce rythme-là, se dit-elle intérieurement, je serai dans le cimetière au mois de novembre, en pleine saison des chrysanthèmes que je n'aime pas! À cinq heures, quand les employés quittèrent les bureaux après l'avoir saluée discrètement, elle ne travaillait plus que par automatisme. Le gérant manifestait sa présence par des bruits qu'il signalait de son bureau.

— Patientez, lui cria-t-elle désinvolte, faussement joyeuse. Je n'en ai plus que pour dix minutes.

Quand le gérant reconduisit Valérie Bellerose à sa voiture, il était déférent, voire respectueux. Il serra la main de la jeune femme avec chaleur.

— Vous avez toute mon admiration, vos prédécesseurs mettaient deux jours à faire ce travail.

Il était sincère. Elle en fut sidérée. Cette admiration provoquée si péniblement se transformait en condamnation définitive. Elle venait de s'obliger à travailler à perpétuité au-delà de ses forces et de son intention.

Je suis orgueilleuse, sotte et ridicule, se répéta-t-elle tout au long du trajet de retour. Quand elle atteignit le parc de stationnement du bureau central à Québec, elle était exténuée, dans un état proche de la torpeur. Elle habitait à deux rues de cet édifice où elle travaillait. Un édifice immense vers lequel elle leva un regard nouveau. Il était coulé d'un seul bloc, hermétique avec des rectangles de mur vitrifiés en guise de fenêtres. Elle revit à l'intérieur l'alignement des bureaux, niches impeccables, aseptiques, climatisées, blafardes de lumière néon. L'édifice lui apparut comme un gigantesque couvoir. Qui produira, pensa-t-elle, après diverses mutations génétiques, un type d'homme nouveau: long, vert, avec une grosse tête, des mains qui transpirent et une peau moite sentant la mort. Et des femmes de même venue qui auront ainsi atteint à l'égalité des sexes!

Son désarroi égala sa lassitude. Comme elle se hâtait vers la sortie du parc, elle aperçut, coincé dans l'encoignure d'une muraille, un chétif lilas en fleurs. Une angoisse subite monta en elle, du fond des âges. Le mur allait se refermer sur l'arbuste comme un missel sur une fleur séchée. Elle s'enfuit en courant.

Les étranges méprises

Une tempête effroyable bouleversait la topographie de la région, nivelant le chemin du rang, creusant une tranchée à la lisière de la forêt. Les rafales de neige poussées par un nordet déchaîné venaient s'écraser sur la façade de la maison. Le carreau de la cuisine était ourlé de givre. Le visage de madame Breton vint s'y encadrer un instant et créa l'illusion d'une image ancienne bordée de dentelle. Tableau émouvant mais fugitif. Le téléphone sonnait. Madame Breton alla décrocher le récepteur et releva la tête en direction de la boîte fixée au mur, à la hauteur et à la convenance du chef de famille... « Non, monsieur, la souffleuse n'est pas ici... elle est en route vers le deuxième rang. » Elle écouta puis répondit calmement: « Le rang deux, j'ai dit. Il ne sera pas de retour avant une couple d'heures, peut-être plus... » Elle fut de nouveau attentive puis répliqua, en élevant la voix: « Il faut qu'il aille jusqu'au fin bout du chemin, jusqu'au bois... » On entendit la riposte grésiller dans le cornet. Elle approcha sa bouche de l'entonnoir: « Est-ce que vous pensez qu'il est là pour le sport? » L'interlocuteur à l'autre bout s'énervait, multipliant les arguments comme s'il dépendait d'elle qu'il soit aussitôt dépanné. Madame

Breton s'impatienta: « Si vous restiez chez vous les jours de tempête au lieu de venir nous bâdrer dans notre travail! » Silence dans le récepteur. L'homme n'avait pas prévu que, malheureuse victime de la tempête, il en devenait un inconvénient. Surprise d'un succès si facile, madame Breton retrouva une voix calme: « Rappelez dans une couple d'heures, si vous êtes encore dans le banc de neige. » Elle raccrocha avec lassitude et observa le cadran de l'horloge murale qui se découpait sur le mur à la manière d'une icône russe. Tiens, déjà six heures... il faut bien qu'ils attendent... on ne peut pas être partout à la fois... Elle s'empressa de finir sa vaisselle, essuya la table d'un mouvement circulaire sans que ne tombe une seule miette de pain sur le plancher. Puis elle précipita les gestes séculaires qui mirent en mouvement le balai, les torchons, des serviettes, une bassine, un bébé et les langes qui réchauffaient sur la porte abaissée du fourneau. La besogne terminée, elle alla lisser ses cheveux devant le miroir qui ornait la corniche du poêle « Légaré's ». Elle en souleva un rond, remua les braises avec le tisonnier et son visage incliné s'éclaira de reflets mordorés comme ceux des madones de LeJeune. Sur l'écran de la télévision, une jeune fille presque nue courait comme une automate le long d'une plage splendide vers un tube géant de pâte à barbe qui éjectait une mousse blanche. Madame Breton regarda distraitement, haussa les épaules, méprisante, pendant que les enfants, médusés, étaient passés d'un western aux nouvelles internationales avec réclames publicitaires additionnelles sans le moindre commentaire, comme si l'annonce de nourriture à chien et les images intolérables de la guerre s'agglutinaient en eux en une même masse informe. La mère retourna vers la fenêtre, posa ses mains en visière, les colla à la vitre et attendit cette accalmie subite du vent qui soulèverait les pans de poudrerie et lui permettrait de scruter la nuit. Son attente ne fut ni longue ni vaine. Le répit fut soudain mais serait bref, pensa-t-elle. Elle connaissait le rythme des tempêtes depuis tant de générations! Son ancêtre était arrivé à Québec en 1730 et avait mis un siècle, par étapes successives, à monter jusqu'à La Bretonnière, village adossé aux immenses forêts du Maine. Elle força son regard et aperçut bientôt le faisceau lumineux et familier qui perçait l'opacité de la nuit en direction d'un firmament réflecteur. La souffleuse n'étant pas le char d'Elie, l'angle de cette projection signifiait simplement que le chasse-neige avait atteint le haut de la montée. La clarté revint bientôt s'aplatir sur la route. Madame Breton calcula que son mari n'en avait plus que pour une demi-heure avant d'arriver à la maison. La tempête reprit de plus belle comme un chien qui se serait tapi pour mieux bondir. Elle ne vit plus qu'une vague lueur intermittente mais continua son guet pour juger si la situation était à peu près normale. Elle l'était. Je pouvais le constater puisque j'étais à bord du chasse-neige depuis déjà deux heures. Debout, transie, je me tenais collée à la paroi de la minuscule cabine pour ne pas nuire aux manœuvres du chauffeur. Nous avancions lentement mais de façon continue derrière le puissant faisceau lumineux du phare fixé sur le toit de l'appareil. La lumière était dense, vive, consistante semblait-il, mais cette solidité apparente s'émiettait subitement sous la violence des bourrasques et nous perdions de vue le tracé à peine visible du passage antérieur de la machine. Elle n'en continuait pas moins son chemin, engloutissant la neige, la dégorgeant aussitôt par un long tuyau et un jet continu, opaque, qui s'étirait en queue de comète ou s'étalait en voile de mariée selon les caprices du vent.

De temps en temps, monsieur Breton faisait pivoter le projecteur et la lumière inondait, quelques secondes à peine, la voiture que nous remorquions. Attachée par un câble, elle traînait, misérable, dans la tranchée que nous creusions, frappant un bordage, allant rebondir sur l'autre. Dans le pare-brise glacé, deux minuscules hublots encadraient les yeux de mes compagnons, des yeux de souris tombée par mégarde dans une chaudière neuve, des yeux agrandis d'inquiétude et vaguement hébétés. Nous avancions régulièrement dans le concert des lamentations du vent. La cabine craquait sinistrement.

— Je me demande si les damnés en profitent pas pour sortir des enfers, dit monsieur Breton laconiquement.

— Vous y croyez vous aux revenants?

— J'y croyais pas avant de voir un de mes cousins, un soir d'hiver, assis sous l'escalier, enveloppé de draps, la tête dans un capuchon, une étrange tête sans face...

— Comment pouvez-vous dire que c'était votre cousin?

— Je l'ai reconnu à sa voix...

Il suspendit sa phrase, changea le registre de sa voix: « Baptême... » Une secousse venait d'ébranler la cabine comme si l'automobile que nous tirions avait jeté l'ancre. « Baptême qu'y sont niaiseux!... » Il désembraya, ouvrit l'étroite portière et sauta. Comme il avait changé la direction du projecteur, je le vis bientôt revenir. Il avançait péniblement comme s'il était immergé jusqu'au cou. Il grimpa dans la cabine, après avoir secoué son casque, par inadvertance, dans mon cou. Il remit aussitôt la machine en mouvement. Elle s'ébranla de nouveau, craquant de tous ses joints sous son panache blanc.

— Il fait fret dans ce char-là que c'en fait pitié, me

dit-il quand il eut terminé la manœuvre. Heureusement qu'ils ont du gin... rien qu'à renifler leur haleine, on pourrait se saouler, ajoute-t-il en rigolant.

— Vaut mieux qu'ils soient saouls que congelés. Je ricanais nerveusement, inquiète du sort de mes amis.

— L'un n'empêche pas l'autre... je leur ai plutôt conseillé de grouiller... et pis d'arrêter de freiner, bondieu.

— Sont-ils gaillards au moins?

— Ils ont plutôt la mine basse... mais pour moi l'important c'est qu'ils arrêtent de jouer avec le volant pis les *brakes*... C'est moi le boss...

Il se rengorgea comme un pigeon et continua sur sa lancée pour souligner son autorité et la suprématie de son rôle:

— Vous n'aviez pas remarqué que le temps était brouillé, ce matin? me demanda-t-il d'un ton maussade.

— Oui, bien sûr, mais c'était notre jour de congé. On aime tellement faire des excursions en forêt, qu'on a pris une chance.

— On prend un chance, pas un risque, répliqua-t-il vindicatif, fort de son avantage.

Il était venu à notre rescousse, nous, qui étions en péril. Je lui donnai raison avec une humilité qui le désarçonna sur-le-champ. Forte de cette certitude tôt acquise, à moins qu'elle ne fut innée, qu'il est toujours profitable de flatter la fatuité des hommes, je continuai à me récréer:

— Ce que ça doit être difficile de manœuvrer une machine aussi compliquée! Et pour la diriger!... Il faut être habile et très fort sans doute...

Sourcière d'expérience, j'avais trouvé la veine.

— Tenir cette bête-là en ligne droite, ça poigne dans les bras je vous mens pas. Si elle mord un peu plus d'un bord que de l'autre, tout de suite, c'est

100

l'embardée. Et puis faut pas souffler la neige n'importe où... Oui, c'est une besogne dure... un travail de spécialiste quoi...

Il tourna un moment les feux du projecteur vers l'arrière; nous avions l'impression de traîner, au bout du câble, un jouet d'enfant. Mes amis avaient obéi. Il en ressentit une satisfaction dont je fus la bénéficiaire. Il se pencha et boucha avec une poche de jute, l'interstice au bas de la porte. Le bout de mes botillons était déjà blanc de frimas. Merci, dis-je avec ferveur.

— Vous transportez souvent des femmes dans votre cabine?

— Malheureusement, il n'en traîne pas souvent dans les bois.

Il me regarda joyeux en me détaillant de la tête aux pieds. Il m'évaluait en pièces détachées. Le résultat de l'opération fut à mon avantage. Il en résulta un heureux changement de climat. Un pont-levis était jeté entre nos deux rives; une bonne humeur gaillarde, grivoise, fit l'aller-retour jusqu'à la fin du trajet. Bientôt le chasse-neige tourna à angle droit, évita une boîte à malle et alla se ranger près d'une maison. « C'est chez moi, dit-il en coupant les moteurs, je vous remorquerai demain matin jusqu'au village. » Nous n'avions pas le choix. Il nous aurait attachés à l'étable avec les veaux que nous en aurions été satisfaits. L'instinct de survie magnifie les besoins primitifs.

Madame Breton nous regarda entrer sans manifester aucune émotion. « Prenez-vous une chaise et faites comme chez vous, » dit-elle calmement. « On vous dérange pas trop? » Le mari et la femme se regardèrent malicieusement mais ne répondirent pas. Notre présence, pour eux, s'apparentait à une tempête de grêle ou à une invasion de sauterelles, sans

101

doute. Comme tout ce qui s'inscrit sous le signe de la fatalité.

Mes compagnons observèrent que le niveau du gin dans la bouteille était encore assez haut. Ce constat les fit rire d'une façon exagérée qui me gêna. Heureusement, ils avisèrent une bouche d'air percée dans le plancher sous l'escalier. Ils y tirèrent deux chaises, étendirent leurs vêtements tout autour de la grille et se laissèrent choir sur leur siège en souriant béatement. « Vous vous êtes gelé une joue », dit madame Breton en s'adressant à l'un des deux hommes. « Il y a encore un glaçon de collé à votre mitaine... vous n'avez qu'à frotter... » Il frotta d'un geste nonchalant, un peu mou, pendant que de longs frissons le secouaient de la tête aux pieds. « Les verres, c'est la première porte à droite », continua-t-elle avec une autorité qui m'arracha de ma chaise. Mes amis burent d'un trait puis ils se désarticulèrent sous nos yeux, pliant du cou, ployant du torse. Les chaises étant très basses, leurs mains pendantes touchaient le plancher. Leurs pieds étaient posés sur la grille. Leurs paupières tombèrent en même temps que s'affaissait leur mâchoire inférieure. Ils se figèrent ainsi, illustration fantaisiste des théories de Darwin ou monument commémoratif d'une locale retraite de Russie! « Merci, je ne bois jamais... » Madame Breton m'avait répondu d'un ton pincé en regardant mes compagnons. Elle réprouvait leur ivresse sans autre but apparent que celui de mettre en garde son mari. Lui et moi, nous nous étions attablés, l'un en face de l'autre. Notre séjour ensemble dans la cabine avait établi entre nous une connivence joyeuse qui au début se manifesta au détriment de mes amis. Madame Breton, son bébé endormi au creux de son bras, se berçait de nouveau en souriant maintenant de nos plaisanteries. Les enfants avaient repris leur place devant la télévision.

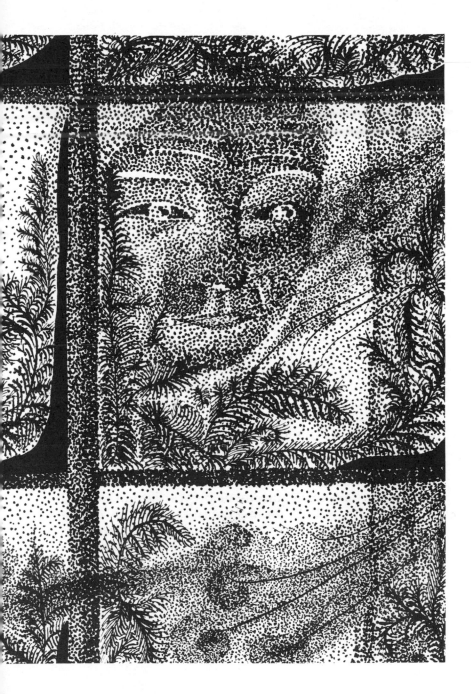

« Coupez le son », avait ordonné le père à notre arrivée. Sans la voix qui module les sentiments, nuance les états d'âmes qui motivent l'action, le jeu pathétique des comédiens devenait ridicule. Les enfants rigolaient, s'amusant du geste désespéré d'un amoureux éconduit qui menaçait, sous leurs yeux, de se jeter en bas d'un donjon. Le vent mugissait sous la corniche du toit, sifflait dans la cheminée. Le château à l'écran de la T.V., son héros suicidaire, les bruits de la tempête ajoutés au ricanement des enfants formaient un tout insolite qui me rappelait les tableaux surréalistes de Spencer. Et je me demandais, en regardant ces enfants autrefois solitaires et isolés, quel serait le résultat de ce contact quotidien et prolongé avec la télévision. « Va mettre des bûches dans la fournaise », commanda le père à un garçon d'une douzaine d'années. « Une seule bûche, corrigea aussitôt la mère, un vent pareil, c'est dangereux pour le feu. » De la bouche d'air montèrent bientôt des bruits discordants, puis une colonne d'air chaud qui sentait la fumée. « Va lui dire d'ouvrir un peu la clef », indiqua la mère à une des fillettes qui disparut aussitôt.

Monsieur Breton et moi, nous buvions notre gin à petites gorgées, amorçant des conversations dont le circuit tournait court faute de participants ou de sujets adéquats. La soirée menaçait de se continuer ainsi sans qu'on puisse autrement prévoir la nuit. Je décidai de procéder à un inventaire de leur vie commune. J'allais sûrement y trouver un profit personnel, plaire en même temps à mes hôtes et obtenir d'une opération qui tenait de l'addition l'effet simultané contraire: soustraire des heures à cette interminable nuit qui allait commencer. La curiosité est morbide ou sympathique selon les intentions qui la motivent. Il advient aussi qu'une question lancée distraitement, tant on est assuré de la réponse, provoque au contraire une surprise aussi étonnante qu'imprévue. Nous avions parlé de la ferme, une ferme de dimensions restreintes, d'un rendement proportionné, suffisante à nourrir neuf vaches laitières durant les bonnes années. Neuf vaches, le chiffre est minime. Pour moi il est suffisant, vu mon ignorance, pour susciter de nombreuses questions. Entre autres, je demandai combien d'heures étaient requises pour l'entretien des bêtes. C'est à lui évidemment que je m'étais adressée. Il se tourna vers sa femme, désinvolte: « Tu mets combien de temps à faire le train? » « Pas longtemps, répondit-elle simplement, j'ai l'habitude. » Je baissai la tête, gênée comme d'une indiscrétion. Et les enfants? Je voulais agrandir le champ de mes investigations pour laisser au plus vite celui des relations conjugales. Il m'exposa que ses deux plus vieux étaient déjà partis pour les chantiers du Maine, comme lui autrefois. « On ne peut pas faire autrement... on a la forêt dans le sang... » avoua-t-il comme s'il s'agissait d'un vice. Je m'objectai aussitôt devant la rigueur de ce jugement sous-jacent. Le métier de bûcheron était honorable et supposait des qualités d'adresse, d'endurance et de force enviées par bien des hommes instruits... Il parut heureux de mon petit laïus et allait y souscrire illico quand je lui fis part, avec circonspection, de mon étonnement: Pourquoi le Maine? Pourquoi pas la Côte-Nord? Il me regarda, ahuri par la stupidité de ma question. La Côte-Nord? Pourquoi qu'ils s'en iraient en pays étranger alors que le Maine est de l'autre côté de la rivière? Je lui objectai aussitôt que la Côte-Nord c'était le Québec et qu'au contraire le Maine n'était pas leur pays. Il dévida d'un trait tous ses arguments: on parlait autant français à Lewiston qu'à Montréal... toute la « réguine » y était à moitié prix... La seule différence était que la Saint-Jean-Baptiste s'y fêtait le 4 juillet. Être tributaire de cette immense forêt du Maine, du réseau économique de cette région, était-ce suffisant pour s'en faire un pays? J'étais abasourdie. J'essayai en vain de l'attendrir par tous les couplets de ma chanson nationaliste. À la fin, il s'impatienta: « Ça me donne quoi, je vous le demande, de travailler de ce côté-ci pour la Domtar? C'est qui les boss de la Domtar? » Il me provoquait. Madame Breton s'arrêta de bercer et éleva la voix, une voix non pas agressive, plutôt sentencieuse, avec un grain d'impatience et beaucoup de détermination. « Arrête de t'énerver, laissa-t-elle tomber à l'adresse de son mari. Tu sais bien qu'on n'est pas encore rendus au domaine de la langue pis des sentiments. Entre la pitoune en forêt et le papier imprimé y a encore trop de monde en gants de kid qui halent les profits! » « Les affaires, c'est compliqué », répondit monsieur Breton avec un accent traînard, une voix qui s'éteignit dans l'indifférence la plus complète. Il se produisit un changement subit qui créa heureusement une diversion. « Maudit, on dirait que la tempête augmente!... » Ma foi, c'était vrai. Les rafales qui s'écrasaient dans les vitres crépitaient comme des volées de petits pois. Le vent s'infiltrait dans la cheminée avec la turbulence d'une force égarée. Il s'en expulsait aussitôt dans une lamentation après avoir provoqué dans le poêle un regain inquiétant qui faisait gronder le feu.

Nous étions silencieux, attentifs aux bruits effrayants qui nous cernaient de toutes parts et nous allions nous remettre à parler pour ne pas céder à la peur qui nous envahissait quand le téléphone sonna. Une des fillettes courut aussitôt vers l'appareil, monta sur une chaise pour décrocher le récepteur. « Allo », cria-t-elle excitée. Elle écouta puis se retourna: « C'est le monsieur qui a déjà appelé. Il est bloqué au bout du troisième rang, avec une femme pis des enfants. Il dit que si vous n'y allez pas, ils vont mourir... » La fillette s'était adressée à son père. Ce dernier baissa la tête en se frottant le menton. « Maman, qu'est-ce que je réponds? » « Demande s'ils sont ben plus loin que le croche du chemin? » La fillette transmit et se retourna: « En plein dedans », répéta-t-elle. Madame Breton releva la tête en direction de l'horloge qui marquait neuf heures. « Dis qu'on appareille tout de suite et qu'on sera là dans une heure au plus! »

Elle se leva aussitôt, remit le bébé à une fillette qui connaissait le rituel. « À dix heures, tout le monde se couche », dit-elle avec une tendresse qui tempérait la rigueur de l'ordre. Elle se dirigea vers la penderie, enfila des pantalons d'étoffe, une veste doublée de nylon brossé et, s'arrêtant devant son mari: « Veux-tu me passer tes bottes, les miennes sont encore humides. » Il se pencha aussitôt pour les délacer. Elle remonta ses cheveux dans une tuque de laine. Elle recommanda à son mari de sortir des courtepointes au cas où les visiteurs aimeraient dormir. Nous n'avions pas à nous gêner. Surtout il ne fallait pas surchauffer par un vent pareil.

Mes compagnons avaient retiré leurs pieds de la grille mais, parmi les émanations, on remarquait une forte odeur de laine chauffée. Elle jeta un regard dans leur direction, parut rassurée. Ils dormaient comme des petits vieux, recroquevillés sur eux-mêmes. D'une voix qui cachait mal ma stupéfaction je m'exclamai: « Tiens, vous manœuvrez aussi la souffleuse! » Elle répondit très simplement qu'elle sortait surtout la nuit parce que les enfants empêchaient son mari de dormir le jour. Je ne pouvais feindre davantage: « Vous dormez quand, vous? » Madame Breton me regarda, surprise que son sort puisse m'intéresser, puis parut choquée de cette intrusion dans sa vie privée.

— Est-ce que vous croyez que je pourrais vivre sans dormir? dit-elle avec une fierté agressive.

Elle se leva, noua son foulard, rabattit sa tuque, enfila ses mitaines et dit à un garçon: « Viens refermer la porte, veux-tu? » Elle l'ouvrit juste assez pour se glisser dehors ce qui fut suffisant pour que le froid envahisse un instant la cuisine. « Bonsoir tout le monde », cria-t-elle avant de s'élancer dans la nuit. Le garçon referma la porte en se jetant de toutes ses forces contre elle tant la tempête était forte.

L'orgueilleuse

Plusieurs plantes de son herbier n'étaient pas encore identifiées, parmi les espèces qui croissaient dans les alentours. Elle en était confuse comme d'une impolitesse. Reconnaître les choses et les êtres qui nous entourent, assurait-elle, crée des liens affectifs additionnels qui augmentent la valeur de l'existence. Elle avait donc la manie des collections, lesquelles résultaient de ses trouvailles personnelles et lui procuraient de surprenantes et intenses émotions. Elle amassait cailloux, clochettes, verres soufflés, cadenas anciens mais sa prédilection pour les plantes sauvages était manifeste. Elle herborisait avec une passion qu'elle savait excessive, ridicule, mais ne pouvait s'empêcher de céder à cette douce et obsédante manie. Ainsi l'autre soir, lors de cette réception... Elle en souriait encore, amusée, attendrie et penaude. Ce qu'elle était jolie, tout de même... cette plante exubérante qu'elle avait cueillie sur les bords du ruisseau pour en garnir sa table. Une plante délicate, rampante, touffue, couverte de minuscules fleurs blanches qui, arrachée des rochers où elle se cramponnait, s'était aussitôt accrochée à sa jupe, puis à la nappe blanche. Elle l'avait disposée avec beaucoup de soin puis s'était reculée de quelques pas pour mieux juger de son effet. Splendide... splendide, se répétait-elle avec une complaisance qui s'était subitement assombrie. Mon Dieu, quel est le nom de cette plante?... Les invités vont certainement s'en informer... Pour consulter la *Flore laurentienne,* elle avait sacrifié le temps réservé à son maquillage et à la cuisson d'une dernière fournée de bouchées au fromage. Quand les premiers convives sonnèrent à la porte du salon, elle venait à peine de repérer, parmi les rubiacées, le nom de *galium palustre.* Elle était allée ouvrir en répétant, réjouie et appliquée: *galium palustre* ou gaillet palustre... Sa réception avait été un succès, le lunch, une réussite, mais personne n'avait manifesté la moindre attention, ni la plus légère curiosité pour cette plante insolite qui s'étalait si magnifiquement au centre de la table et rampait parmi les plats. La soirée terminée, elle avait ri aux larmes de l'incident. Son mari aussi quoique sa gaieté fût mitigée, l'ardeur de sa femme lui semblant quelquefois intempestive et démesurée. Pour le rassurer sans doute, Irène avait dit: « Quand les enfants seront grands, j'aurai tout le temps d'assouvir mes manies et alors elles disparaîtront! » Quand les enfants seront grands... quand les enfants seront élevés... Cette ritournelle au conditionnel servait de préambule à tant de projets que le mari finit par y croire. Elle allait se recycler, reprendre son métier et en même temps lui consacrer plus de temps, à lui: elle n'aurait pas plus d'heures libres sans doute, mais elle serait plus disponible et d'esprit et de cœur. L'époux douta d'abord de cette projection. Il lui sembla bientôt réjouissant et commode de s'en convaincre. Aussi, quand la direction de l'Hydro l'avisa qu'il était muté sur la Côte-Nord avec une augmentation de salaire, il accepta aussitôt, sans une hésitation, sans même consulter sa femme. Son supérieur hiérarchique lui avait annoncé onctueusement qu'il était promu à un poste plus élevé, c'est-à-dire qu'il allait remplir ailleurs la même fonction dans des conditions plus difficiles avec un traitement légèrement augmenté!

— Nous partirons à la fin de l'automne, annonça-t-il péremptoirement.

— C'est emballant, s'exclama Irène, surprise et déconcertée.

— J'ai organisé l'année scolaire des enfants.

— Les enfants? répéta-t-elle confuse.

— Nous n'allons pas les déménager au mois de novembre! Ce serait compromettre leur dernier semestre.

Irène ne répondit pas, interloquée sembla-t-il.

— J'ai téléphoné à Ursule... elle accepte de les prendre en pension. J'ai fait leur entrée au Cegep de Limoilou. Je te connais assez pour savoir que tu n'y vois pas d'objection... Que tu es même satisfaite d'être libérée plus vite que prévu...

— Bien sûr, répondit-elle d'une voix faible et absente. Nous n'avons pas le choix de toute façon. Les enfants n'ont pas à subir les inconvénients de ce déménagement.

Il la regarda avec surprise puis inquiétude; elle semblait désemparée.

— Ça ne te fait rien de partir au moins?

— Mais non, voyons...

— Tu as l'habitude des déménagements. Celui-ci est assez particulier parce que nous nous séparons des enfants, mais enfin... j'ai toujours supposé...

— Tu as raison, il est temps que je commence à vivre pour moi-même. Il parut soulagé sur-le-champ de n'avoir pas à s'inquiéter des états d'âme de sa femme. Surtout que les décisions étaient prises. Il la serra dans ses bras, en riant très fort.

— Tu verras, il n'y a rien de plus salutaire que la

diversion, de plus tonifiant que le changement. À brouter toujours dans le même clos, on vient à manquer d'herbe fraîche.

Elle consentit à tout en riant, elle aussi, plus que ne le commandaient les circonstances.

Ils ne s'interrogèrent plus sur la sagesse et l'opportunité de leur décision. Irène se rendit au magasin général, acheta deux malles en tôle bleue qui restèrent, ouvertes, dans le corridor de l'entrée, durant les derniers quinze jours de l'été. Elle s'affaira à compléter le trousseau de ses garçons. Il fallait prévoir les pluies de l'automne, les froids rudes de l'hiver, doubler la quantité des vêtements puisqu'elle ne serait plus là pour s'occuper avec diligence de leur entretien. Et marquer tous les vêtements, par prudence. Sur chaque morceau, elle cousit un bout de galon blanc sur lequel était écrit, à l'encre de Chine, comme autrefois, les prénom et nom de ses deux garçons. Elle les épela en piquant le galon qu'elle pressait de son pouce à la fin de l'opération. Elle les murmura une dernière fois avant de plier et de ranger le vêtement dans l'une ou l'autre des valises. À les répéter ainsi, sa gorge s'étrangla et, à la fin, les noms qu'elle cousait étaient déformés par la lentille de ses larmes.

Cette émotion imprévue la bouleversa, le temps de lui trouver une justification: pleurer est une réaction normale pour une mère qui va se séparer de ses enfants, se dit-elle; même si elle est consentante, elle peut, sans déchoir, se permettre quelques larmes. Le fait est brutal, douloureux, mais sans graves conséquences, heureusement... En tout cas, il est préférable que je pleure ici, seule, plutôt qu'au jour de la rentrée devant mon mari, la tante Ursule et les garçons... des adolescents presque, qui surveillent, observent, épient et veulent tout comprendre... Peut-être que la séparation eût été plus facile s'ils étaient semblables aux autres... Mais non... ils étaient différents. Des enfants qui entraient dans la vie sans cette insouciance cruelle propre à leur âge... Qui n'avaient jamais arraché les pattes des insectes, fait fumer une grenouille ou mis de l'huile à lampe sous la queue des chiens... Des enfants comme les siens, c'est plus accaparant, il va de soi... Ils n'arrêtaient pas de la questionner. Ou plutôt, ils la provoquaient sans cesse par des affirmations abominables pour qu'elle les fustige mais donne en même temps des éléments de solution et de réponse aux inquiétants mystères de la vie. Il vous plaît, d'aller vivre à l'étranger? Ils répondirent affirmativement, mais avec une certaine hésitation, partagés entre la nouveauté de l'aventure et l'appréhension qu'ils en ressentaient. Inquiétude qui demeura secrète jusqu'à la fin des vacances mais se traduisit, au matin du dernier jour à la maison, par une perte d'appétit chez l'aîné et des coliques chez le deuxième. Ces réactions sont normales, se dit la mère, un cordon ombilical se coupe trois fois. La dernière fois, ce sera à leur mariage. Ses garçons lui donneraient des brus qui ressembleraient, c'est certain, aux filles dont elle avait rêvé. Tout est facile dans la vie conclut-elle, il suffit d'être logique et de contrôler ses émotions. Aussi, ce n'était absolument pas de sa faute si elle eut une indigestion qui l'obligea à demeurer à la maison le jour du départ pour Québec.

— Est-ce que tu garderas Fada, quand nous ne serons plus ici? avaient demandé les enfants avec tristesse mais résignation.

— Oui, je la garde, avait répondu la mère avec une rudesse qui camouflait les attendrissements interdits. Oui, je la garde à la condition que vous casiez les chiots.

Comme les garçons se taisaient étonnés et déçus, elle avait répliqué, impatiente:

— Ils sont assez vieux, vous ne trouvez pas? On ne va pas à chaque fois reprendre la discussion à propos des chatons, des lapereaux, des chiots... un jour faut qu'ils disparaissent. Faut s'en séparer, c'est la vie.

Quand le jour fatidique arriva, les chiots étaient placés, les deux fils vêtus correctement et les valises, prêtes. Ces dernières furent chargées, une dans le coffre arrière, l'autre sur le toit de la voiture et l'équipage disparut au coin de la rue. La mère, calme et digne, assista au départ, de la fenêtre du salon. Elle souleva le rideau et demeura immobile, la main levée en guise d'adieu, comme étrangère à elle-même ou dans un rêve ou sous l'effet d'une anesthésie particulière... surprise de ressentir si peu de chagrin, seulement une espèce d'engourdissement, un malaise plutôt rassurant à bien y penser... autrement elle se serait jugée sans cœur et sans entrailles.

Quand son mari revint au début de la soirée, ils s'attablèrent devant un repas délicieux, burent beaucoup de vin et rirent jusqu'à la nuit... elle ne savait plus au juste à quel sujet. Le lendemain, elle fut surprise de se réveiller plus tard que d'habitude, dans une maison désormais silencieuse. Elle regarda longuement son mari qui dormait, les poings fermés, posés sur l'oreiller près de son visage, revêtu de son éternel pyjama bleu rayé. Elle se leva, remarqua dans le miroir qu'elle avait un teint blafard, la langue épaisse et diagnostiqua une panne temporaire de son système digestif. Conséquence logique de son ivresse de la veille. Elle ne gardait de cette soirée que des souvenirs intermittents... Il l'avait transportée de la table à leur lit dans ses bras, ça, c'était certain. Ce qui s'était passé ensuite devenait flou, imprécis, à l'exception de certains moments voluptueux qui avaient certainement atteint un maximum d'intensité! Elle pouvait les évoquer parfaitement comme une personne qui, en danger de se noyer, n'aurait eu conscience que des seuls moments où elle émergea de l'eau. Elle se sourit dans la glace, exaltée subitement à l'idée d'ajouter des dimensions nouvelles à sa vie amoureuse. Elle alla préparer le petit déjeuner et s'habilla en même temps que son mari afin d'aller le reconduire au bureau. Décision dont elle se félicita. Le trajet lui parut si agréable qu'elle en fut intérieurement éblouie. « C'est merveilleux », murmura-t-elle, pendue au bras de cet homme qu'elle s'accusa d'avoir négligé, trop accaparée qu'elle était par l'éducation des enfants. Elle s'excusa gentiment. « J'aurais pu facilement devenir une mère abusive, dit-elle, et les mères abusives sont maléfiques puisqu'elles conservent aux adultes leur âme d'enfant. Ah! mon Dieu, ce que nous avons été sages! Voilà qu'au lieu de cette catastrophe dont j'aurais pu être la cause, nous avons le privilège de redevenir un couple, seulement un couple, tu te rends compte? » Elle divagua ainsi joyeusement jusqu'à la porte du bureau, fit demi-tour en agitant la main et revint doucement, légère, disponible, perméable à toutes les sensations. Quand elle eut laissé la rue pour s'engager dans l'allée bordée d'arbres qui conduisait à leur demeure, elle s'arrêta, émue: un soleil fragmenté miroitait dans chaque fenêtre. Sa vie quotidienne prenait une ambiance de vacances. Tout était subitement inondé de lumière comme pour une fête. Elle ralentit sa marche pour savourer plus longuement cet état d'exultation. Jamais elle n'aurait pensé que le recouvrement de sa liberté s'accompagnerait d'un plaisir si intense.

Comme elle approchait de la maison, un épais nuage escamota le soleil, éteignit les fenêtres et jeta sur le décor un voile gris et froid. C'est alors qu'elle vit Fada, la chienne, tendue immobile au bout de la corde qui l'attachait à sa niche. Elle perçut que la bête gémissait doucement, sans arrêt et cette plainte continue la bouleversa tout entière. Elle passa une main moite sur son front, sur ses paupières; un malaise étrange et subit l'envahissait. Elle courut vers la chienne, la flatta de façon familière mais précipitée puis s'empressa vers la maison pour effacer au plus vite le sentiment bizarre et singulier qu'elle venait d'éprouver.

La chambre des parents était au rez-de-chaussée selon le vieil usage. Celles des enfants à l'étage. Pour combattre l'anxiété, elle avait toujours préconisé un labeur physique, éreintant si possible. Chaque fois qu'une amie lui confiait qu'elle était dépressive ou inquiète, elle suggérait aussitôt un travail ou un exercice violent. Rien ne la pressait de faire le ménage puisque les enfants ne comptaient plus sur elle pour ranger leurs effets, tendre les draps de leurs lits et gonfler les oreillers. Mais voilà, elle n'allait pas rater l'occasion d'expérimenter sa propre thérapeutique. Elle monta l'escalier, ouvrit la première porte, s'avança d'un pas qu'elle voulait détaché et commença l'inventaire des jouets et des vêtements, lesquels, pêle-mêle, encombraient la commode, le lit et jonchaient le plancher. Elle secoua un pantalon; il en tomba une boussole, un canif, un bout de branche de sureau, une ficelle et un caillou, plat comme une pièce de monnaie: la panoplie du petit garçon. Elle se pencha, prit dans sa main le bout de branche entaillée maladroitement; il n'avait pas réussi à s'en faire un sifflet. Sa gorge se serra. Elle sortit précipitamment et se dirigea vers la deuxième chambre. Alors que le lit de l'aîné était culbuté comme un champ de bataille, celui du plus jeune était à peine défait, le haut des couvertures enroulé comme un nid d'oiseau... Elle hésitait

116

à rabattre les draps, saisie qu'elle était de nouveau, d'émotions étranges, inexplicables. À ce moment précis, par une inévitable diversion, elle s'entendit haleter. Elle recula jusqu'au mur pour s'y adosser, porta à sa gorge une main inquiète et sentit au même instant qu'une griffe empoignait le cœur, lequel résistait de son mieux, lui sembla-t-il, par des pulsations accélérées et douloureuses. « La vie est ridicule, marmonna-t-elle en se précipitant hors de la chambre. Maintenant que j'ai le temps de vivre pour moi-même, je vais commencer à être malade. »

Le soir, quand son mari revint du bureau, elle lui annonça qu'elle avait fini de ranger les chambres des garçons, ce qui lui éviterait de remonter là-haut jusqu'au déménagement. Le timbre de la voix était nouveau, surprenant.

— Tu ne t'ennuies pas au moins, dit-il, brusquement inquiet.

— L'ennui, c'est bon pour les êtres qui n'ont en eux ni possibilités, ni ressources. Moi, m'ennuyer? Pour qui me prends-tu? répondit-elle d'un ton aigu en gagnant la cuisine.

Il observa qu'elle tapait du talon, ce qui signifiait toujours qu'elle était agacée et tendue. Les jours précédents, il avait aussi remarqué qu'elle répétait souvent, trop souvent, combien elle était contente de le reconduire au bureau. Il avait subitement l'impression que tous ces mots ressassés devenaient comme un paravent, derrière lequel elle s'éloignait doucement, lentement mais indubitablement vers un monde qui lui était étranger.

— Tu ne ris plus, remarqua-t-il un jour, tu ne manges plus, tu maigris. Qu'est-ce que tu as, grand Dieu?

— Moi? J'ai des troubles du foie... rien ne rend plus indolent et silencieux.

— Tu devrais t'intéresser à quelque chose, reprendre ton métier...

— Pourquoi, puisque nous déménageons bientôt.

Elle commença, dès le lendemain, de longues promenades en suivant la route solitaire qui longe la
rivière. Elle avait décidé d'amener Fada avec elle
après que son mari lui eût fait remarquer que la
chienne ne mangeait plus, dépérissait à vue d'œil...
probablement parce qu'elle n'avait jamais été attachée
aussi continuellement à sa niche.

Irène et Fada prenaient donc ensemble le chemin
de gravier. La femme marchait d'un pas régulier,
plutôt lent et la chienne, à la hauteur de sa maîtresse,
suivait, le museau bas ou le relevant subitement pour
humer l'air comme si elle flairait une trace ou une
présence.

« Que t'arrive-t-il, ma pauvre Fada, murmurait la
jeune femme. Toi qui portais tes oreilles et ta queue
comme des oriflammes. Fada, qu'est-ce que tu sens?
Qui cherches-tu?... On dirait ma foi que tu t'ennuies
de tes chiots. Tu es ridicule... tu les allaitais encore
et ils étaient aussi gros que toi. Tu es folle, Fada,
est-ce que tu croyais sincèrement que tes chiots, tu
pourrais les garder près de toi toute ta vie?... Je ne
pensais pas que cette séparation te ferait cet effet...
Un bon jour, tu coupes les liens, tu te libères, tu te
retrouves... C'est aussi simple que de changer de
métier. La vie, tu la donnes, tu ne la prêtes pas par
morceaux en gardant pour toi ceux qui te font plaisir. Tu te fais du souci et tes chiots, tu les croiserais
qu'ils ne te reconnaîtraient pas, tout absorbés qu'ils
sont par leur propre vie. Ce n'est pas parce que tu as
mis des chiots au monde que tu as sur eux un droit
exclusif. Ton rôle est fini, Fada. Tu t'es trop attachée
à eux, c'est là le drame. L'amour doit être lucide,
autrement il fausse tout. »

Elles s'éloignaient, toutes deux, dans la magnificence de ces journées de septembre mais Irène ne les remarquait plus, absorbée par ces longs monologues qu'elle répétait d'un ton absent. Elle allait jusqu'à la limite de ses forces, revenait à la maison pour tomber épuisée sur son lit.

— Tu dors encore? disait le mari en revenant de l'ouvrage.

Il était inquiet, attentif mais impuissant et déjà un peu agacé.

— C'est harassant, à la fin, ces promenades sans but. Je ne sortirai plus, c'est tout, répondit-elle résignée.

— On ne peut pas vivre ainsi. Est-ce que tu le réalises?

— Mais oui, je m'en rends compte, c'est évident. Tu n'auras qu'à m'abandonner quand tu ne pourras plus me supporter.

— Arrête de dire n'importe quoi, cria-t-il excédé.

Irène n'alla plus reconduire son mari au bureau. Elle passa ses journées à guetter son retour. Il était devenu son unique lien, son ultime moyen de communiquer avec le monde extérieur, ce monde dont elle se sentait de plus en plus exclue. Quand il n'était pas là, ses perceptions devenaient impersonnelles et ténues. Un voile transparent mais impénétrable la séparait des êtres et des choses. Tout se figeait dans une apparence convenue. La réalité et l'irréalité mêlaient leurs eaux. Les quelques fois où par inadvertance elle avait regardé en elle-même, elle avait découvert une plaine nue, et entendu comme venant de très loin, des cris d'angoisse et de détresse.

— Peut-être que tu devrais te faire soigner, dit un jour le mari avec précaution et tendresse.

— Je ne sais pas, murmura-t-elle avant de détourner la tête. Il vit quand même qu'elle pleurait.

— On dirait que j'ai perdu mon chemin. Je ne sais pas. Je ne sais plus.

— Tu n'aimerais pas que nous allions consulter? J'ai l'impression que tes diagnostics ne sont pas les bons. On pourrait demander conseil à un...

Il n'eut pas le temps de finir. Elle avait pressenti le mot. Elle le regarda terrifiée puis se précipita vers la porte d'entrée en accrochant le guéridon du vestibule. Le meuble vacilla. Le mari s'élança pour le retenir pendant que la porte se refermait avec un fracas qui résonna dans la grille d'air. Il demeura immobile, coi et désemparé. La tête inclinée, il se grattait le crâne de perplexité quand il entendit, venant de l'extérieur, un cri terrible, le cri d'un être menacé. Il se rua vers la porte qui demeura ouverte, traversa en courant le jardin et s'arrêta, ahuri, au coin du garage. Sa femme était agenouillée près de la niche, la tête dans ses mains et sanglotait sans aucune retenue. Il s'approchait lentement pour se donner le temps de comprendre quand il vit que Fada était étendue sur le côté, les membres déjà figés de raideur cadavérique. Il s'approcha, attendri, bouleversé et encercla de son bras les épaules de sa femme. Cette dernière se redressa aussitôt, tourna vers lui un visage tout mouillé de larmes et dit humblement, comme quelqu'un qui accepte sa défaite après en avoir trop longtemps, par orgueil, différé l'échéance:

— Je deviens malade ou folle parce que j'ai trop de mal à me séparer des enfants. C'est aussi simple que ça!

L'Auberge de la Tranche mince

Hector Fauteux, l'hôtelier du village, vieillissait doucement, avec élégance. Son visage ne se flétrissait pas, il se colorait avec les ans en teintes plus délicates; ses cheveux tournaient au gris, ses lèvres au rose et son teint à l'ivoire. Joséphine, sa femme, malgré pommades et imprécations, constatait, un bon matin, qu'une ride additionnelle creusait son visage. Furieuse, elle s'écriait qu'elle travaillait trop, qu'Hector devrait engager une cuisinière... à moins qu'il ne préférât la laisser mourir à la tâche...? Monsieur Fauteux ne répondait jamais à de si malveillantes allusions. Il se contentait de regarder sa femme d'un œil moqueur, le sourire perfide, comme s'il y avait entre eux un pari et qu'il fût assuré de le gagner. Une supériorité apparente n'est pas toujours garante de succès. Une maladie subite enleva brutalement monsieur Fauteux et laissa madame Fauteux démunie et indécise. Cette maladie inattendue éclaira sa vie sentimentale d'un immense feu de Bengale, qui l'éblouit, l'aveugla et la perdit.

Monsieur Fauteux passait la plus grande partie de ses journées dans le hall de son hôtel, derrière le

121

comptoir de réception qui était perpendiculaire au mur, près de la porte d'entrée. Quand arrivait le premier jour de novembre, l'hôtelier donnait l'ordre de poser le tambour. On appliquait alors, sur la porte d'entrée, une construction de planches verticales vertes qui ressemblait à une guérite.

Cette année-là, un hiver précoce se déchaîna sur la région. Un vent glacial s'engouffrait avec les clients dans l'hôtel, balayait le hall jusqu'au comptoir de réception. Monsieur Fauteux devait se raidir de tous ses membres pour ne pas frissonner.

— Installe le tambour, criait Joséphine quand elle sortait de la cuisine, tu fais geler toute la maison.

— Nous ne sommes qu'à la mi-octobre... le beau temps va revenir.

— S'il revient, ce ne sera pas pour longtemps.

Monsieur Fauteux coupa court, d'une voix sèche:

— Je ne poserai pas le tambour avant le premier novembre. Nous ne sommes pas pour recommencer à chaque automne ces discussions interminables à savoir s'il est temps ou non de poser le tambour. Ce n'est pas pour rien que, dans la vie, on se crée des habitudes!

Monsieur Fauteux ne transigeait jamais avec sa discipline personnelle. Le tambour fut donc installé le premier novembre. Malheureusement, l'hôtelier n'était plus là derrière son comptoir. Il participait à ses propres funérailles dans le tout premier rôle. Après avoir reçu à l'église les honneurs suprêmes, il venait de réussir, au cimetière, devant les siens réunis, sa dernière sortie.

Joséphine, toute de noir vêtue, répondait en sanglotant aux prières que le prêtre psalmodiait d'une voix nasillarde. Pendant qu'un soleil insolent chauffait doucement les couronnes de fleurs flétries et le tertre de terre fraîchement remué. Une odeur âcre et fade à la fois en émanait. Joséphine se tenait dignement dans l'allée, face à la pierre tombale, pleurait, priait et à intervalles réguliers relevait la tête, plissait les yeux pour vérifier l'aplomb du monument familial.

La mise en terre terminée, les officiants en surplis blancs se hâtèrent vers la sortie du cimetière. Le glas tinta et madame Fauteux eut une défaillance. Ses voisins de cortège aussitôt l'entourèrent pour la soutenir. Les assistants semblèrent affligés. Les plus proches parents, en descendant l'allée qui conduisait à la grille d'entrée, essuyèrent quelques larmes. Sitôt sortis du cimetière, ils redressèrent l'échine et humèrent l'air avec des reniflements de chien à l'affût. Durant le trajet de retour, pour affirmer leur statut de vivants, les gens de la suite échangèrent des propos optimistes sur les progrès de la médecine, sur la douceur du beau temps revenu et les plaisirs possibles de la vie.

Madame Fauteux, qui ouvrait la marche, arriva bientôt à l'hôtel. Elle monta rapidement l'escalier, traversa le tambour vert où l'on suffoquait de chaleur et se figea subitement dans l'embrasure de la porte d'entrée. Le comptoir lui parut sinistre amputé de son élément essentiel: son mari. Elle se figea, l'œil fixe, subitement absorbée. Dans ce vide elle vit se dresser Hector, cet homme impitoyable et secret avec qui elle avait vécu trente années. Il est mort par sa faute, gémit-elle faiblement. Il aurait dû suivre mes conseils et poser le tambour... ce n'est pourtant pas si humiliant de changer une date du calendrier... Elle demeura là, immobile et perplexe. Comment avait-il pu se permettre de mourir, se demanda-t-elle, lui, si ponctuel, si rangé, qui n'abandonnait jamais son poste, jamais... sauf pour aller servir l'apéritif aux clients de passage, ou verser d'un mouvement sec et ennuyé leur ration d'alcool aux ivrognes du canton. Lui, précis comme l'horloge du hall qu'il remontait tous les lundis matins! Lui, si conscient de son devoir qu'il s'était mutilé en se tirant une balle dans les orteils pour ne pas être obligé de s'enrôler lors de la dernière guerre... Elle l'entendit de nouveau raconter l'incident dont personne n'était dupe. « J'étais descendu à la cave pour chasser la vermine... » « Avec un fusil? » demandait toujours une voix narquoise. « Et pourquoi pas, c'est un sport comme un autre... »

Joséphine, qui rêvait d'une diversion dans sa vie conjugale mal engagée et d'une occasion de prouver qu'elle pouvait administrer l'hôtel, avait vu dans cette mutilation qui gardait Hector à son poste, une injure personnelle. Quand, durant les années qui suivirent, elle le croisait entre les portes battantes qui séparaient la cuisine de la salle à manger, elle ne manquait jamais de souffler un « lâche » qui rappelait le chuintement du chat, atténué heureusement par le bruit des portes oscillant sur leurs gonds. Hector ne cillait même pas, emmuré dans cette forteresse d'indifférence dont la pauvre Joséphine se portait en vain à l'assaut. L'après-midi, son travail terminé, elle venait rejoindre son mari derrière le comptoir. Elle profitait toujours de cette occasion pour tenter de provoquer chez lui une colère, un dégoût, une fureur, un geste même brutal, peu lui importait la manifestation pourvu qu'elle correspondît à quelque chose qui ressemblerait à de l'attention. Elle tirait la berçante devant la fenêtre, s'y installait confortablement en appuyant sa tête au coussin du dossier, trouvait pour se bercer le rythme qui convenait au degré de son énervement. Et, tout en suivant avec une apparente application le va-et-vient des passants dans la rue, elle attaquait son conjoint. Insidieusement d'abord. Puis d'une façon agressive et violente. Hector ne relevait aucune des allusions malveillantes et ignorait les invectives. Il répondait d'une voix placide par des propos anodins. Il parlait calmement en feuilletant son journal ou en vérifiant la tenue de ses livres. Joséphine, furibonde, attendait l'arrivée d'un client pour déguerpir afin que sa fuite ne ressemblât pas à une défaite. À l'exception de cette fois surprenante où elle bondit de sa chaise et monta l'escalier deux marches à la fois. Hector leva la tête, étonné... c'était la première fois qu'elle agissait de cette façon! Ahuri, il la suivit du regard jusqu'à l'étage. Puis il fut distrait par la flamme du lampion qui éclairait les pieds d'un Sacré-Cœur debout dans l'encoignure du palier. Il n'avait pas changé d'attitude quand Joséphine redescendit, sa valise de noce à la main. Elle passa comme une tornade devant le comptoir. Hector, par l'entrebâillement du rideau, la vit monter dans un taxi. Alors il se dirigea lentement vers la cuisine et dit à une jeune fille qui grattait des légumes:

— Ma femme est partie chez sa sœur pour quelques jours. Ce soir, c'est la soupe aux légumes et le jambon froid.

Il savait, à un pois près, le menu, immuable depuis vingt ans.

Quand Joséphine revint au bout de trois jours, il alla lui ouvrir la porte poliment. Dompteur obstiné et sûr de sa technique, il demanda:

— Tu as fait un beau voyage?

Elle se composa le regard trouble et inquiet de la femme qui rentre d'une escapade et murmura:

— Oh! oui. Et toi, ça s'est bien passé?

Il laissa tomber un « bien sûr » sec. Elle s'accouda au comptoir, sourit mystérieusement en minaudant:

— Je pense que je vais monter à ma chambre, j'ai si peu dormi depuis que je suis partie...

— C'est ça, repose-toi, avait-il répondu d'un ton neutre.

Il s'affairait à chercher quelque chose dans les tiroirs, sous le registre, entre les pages du registre, sous le cendrier... tout en observant furtivement le comportement de sa femme. Quand il constata qu'une fureur inquiétante allait de nouveau s'emparer d'elle, il renifla bruyamment en direction de la cuisine.

— Vite, Joséphine, cours au poêle, on dirait qu'un rôti est en train de brûler.

Il désamorçait les colères par ces moyens simples et efficaces que sont les rappels impromptus aux exigences de la routine.

Pendant la semaine qui suivit, Joséphine exhiba ses yeux rougis et un regard implorant. Peine perdue. Hector tint ses paupières obstinément baissées.

Dans un effort désespéré pour conquérir son homme, Joséphine revenait quelquefois à ses premières stratégies. Le soir, quand arrivait l'heure de fermer le bar, de ranger les livres, d'allumer la veilleuse qui donnait au comptoir un éclairage velouté, elle devenait miel et fleur, allait s'appuyer au poteau de la rampe de l'escalier et implorait humblement:

— Viens, Hector.

— Va, répondait-il, ne t'occupe pas de moi. Je monterai tout à l'heure.

Ne t'occupe pas de moi... ne t'occupe pas de moi... c'est à mourir de rire, pensa Joséphine en relevant la voilette de son chapeau de deuil. Cette phrase insensée avait-elle été réellement prononcée?... Était-ce possible?... « Ne t'occupe pas de moi »... alors que durant sa maladie, il ne lui avait pas laissé un instant de repos... pas un instant! C'était des « Joséphine, peux-tu me laver à l'eau fraîche? » « Joséphine, reste avec moi. » « Joséphine, dis-moi que je ne vais pas mourir. » « Es-tu là, Joséphine? »

— Mais oui, mais oui, mon lapin, lui avait-elle répété, en tapotant ses oreillers ou en lissant ses cheveux. Jamais un malade n'avait eu plus belle peau. Elle le faisait s'étendre sur le dos puis sur le ventre pour le frictionner, le masser, le poudrer... Surtout aux premiers jours de cette maladie inespérée. Elle lui enlevait son pyjama, lui appliquait une lotion odorante qu'elle étendait en gestes ronds, doux, légers. Des gestes qui apportaient aux lèvres d'Hector un sourire singulier, inconnu, et des mots qui s'éteignaient de douceur, laissant Joséphine confuse et émerveillée.

C'est cet Hector-là, métamorphosé, amaigri et chancelant qui serait, un jour, descendu de la chambre tendrement accroché à sa taille.

— Une demi-heure, pas plus. Pour un premier séjour derrière le comptoir, lui aurait-elle dit câlinement.

Il aurait retrouvé sa force et sa vigueur, c'est certain, mais d'une façon différente. Ainsi, à ce moment, il tournerait la tête vers elle, l'accueillerait avec ce merveilleux sourire, en disant: « Pourquoi m'as-tu laissé seul si longtemps, Joséphine? »...

Un client de l'hôtel, qui allait sortir, lança la clef de sa chambre sur le comptoir et l'objet alla buter contre le registre. Joséphine sursauta en échappant un léger cri. Le client parut désolé et s'excusa. Puis, obséquieux à cause des circonstances, il invita la parenté, qui s'était arrêtée sur la galerie, à traverser le tambour et à pénétrer dans le hall de l'hôtel.

À la fin de l'après-midi, le repas des funérailles terminé et les invités partis, la routine reprit ses droits. Joséphine, émue, alla s'installer derrière le comptoir, à la direction. Le commis-voyageur qui retenait toujours la chambre numéro 8 n'allait pas tarder. C'était son jour. Elle prépara la fiche et quelques phrases indispensables pour le rassurer sur la

127

continuité de la bonne tenue de l'auberge: « Vous n'avez pas à vous inquiéter, le service sera le même qu'autrefois »... Le client arriva. « Vous n'avez pas à vous inquiéter, ce sera comme si Hector était toujours là... » En répétant à haute voix cette phrase pourtant prévue, elle éclata en sanglots. Un chagrin irrésistible et immense l'accablait soudainement. Elle demeura là, derrière son comptoir, hébétée et confondue.

Trente ans de lutte conjugale pour conquérir un homme et acquérir le privilège d'être son égal! Trente ans d'un combat qui était devenu, après quelques années, une fin en soi, qui avait suscité en elle une haine solide presque rassurante, une haine qui avait, à l'occasion de cette maladie, perdu toute sa justification, qui s'était effacée subitement, annihilant trente ans de vie conjugale par un constat de non-lieu, terrassée par cette fulgurante révélation de ce qu'aurait pu être une vie de tendresse. « Ne me laisse pas Joséphine... J'ai froid, Joséphine... » Se retrouvant enfin unis par cette maladie, la vivant avec une intensité insoupçonnable alors qu'en fait elle n'était qu'une imposture de plus! Joséphine y avait puisé un espoir passionné. Hector s'en était servi tout simplement pour mourir. Il lui restait quoi? Rien dans sa vie n'avait vraiment eu lieu. Rien...

Le jour des funérailles, le bar était resté ouvert mais les habitués, par discrétion, s'étaient abstenus d'y venir. Quand ils reprirent leur habitude, ils furent déconcertés par l'affliction de la veuve, un désespoir qu'ils ne s'expliquaient pas. Les commis-voyageurs, eux, avaient escompté des avantages à ce changement. Ils envisageaient de secouer une discipline trop rigoureuse, de remplacer les propos austères d'Hector par d'autres qui seraient légers, galants, de pouvoir enfin donner cours à leur verve de commis-voyageur en échangeant les histoires scabreuses de leurs répertoires respectifs. Ils étaient prêts à sympathiser chaleureusement pour calmer ce chagrin excessif, manifestation normale d'un tempérament passionné, supputaient-ils, chacun pour soi. Ils avaient, à tour de rôle, tenté de consoler la veuve éplorée. Les plus hardis, les plus fats ou les plus excitables avaient insinué qu'ils avaient le moyen infaillible de la réconforter. Ceux qui se croisaient à l'hôtel, se toisaient réciproquement en évaluant les chances de chacun. Pendant quelques semaines ce fut une compétition de virilité.

Rien ne consola madame Fauteux. Sa douleur était devenue une désolation. Les commis-voyageurs hochèrent la tête d'incompréhension puis de regret, manifestèrent bientôt de l'agacement puis l'un après l'autre annoncèrent qu'ils ne reviendraient pas la semaine suivante: l'un était assigné à un autre poste, l'autre changeait de région, un troisième, de métier...

Les recettes de l'hôtel dégringolèrent dans la colonne du crédit. Avec une logique pratique et féminine, Joséphine donna la même courbe descendante à la colonne du débit. Au bar, elle coupa sur la mesure et, à la cuisine, elle avança d'un cran les couteaux mécaniques. Les tranches de pain et de viande à chaque fin de mois devinrent de plus en plus minces. À la fin de l'année, les lèches de jambon collaient au fond des assiettes comme du papier de soie trempé. Le visage défait, l'air absent, Joséphine allait du bar au comptoir, du bar à la cuisine, rassurée de constater que les deux colonnes du livre des comptes balançaient toujours: elles passèrent de quatre chiffres à trois, harmonieusement, à la même fin de mois. C'est parfait, dit-elle, et elle ferma définitivement le livre. Le comptoir aussi était inutile puisqu'il n'y venait plus de clients. C'est au bar que Joséphine se

129

tenait. Assise sur un tabouret, dans la pénombre de la pièce exiguë, auréolée des bulles lumineuses d'une réclame de whisky, elle tenait à la main un verre toujours rempli. L'habitude lui en était venue si facilement que ses façons de vivre s'étaient transformées aussi rapidement que celles de l'hôtel. Un jour qu'un habitué avait laissé tomber dans la conversation « comme aurait dit Hector »..., elle s'était mise à sangloter avec tant d'éclat que l'homme pris au dépourvu avait dit:

— Tenez, madame Fauteux, je vous offre un verre de gin, on n'a jamais trouvé mieux pour oublier un chagrin.

En refermant sa main sur le verre tendu, madame Fauteux avait comme acquis une faculté additionnelle! Celle de transformer, par l'ivresse, sa vie passée. De lui donner une signification nouvelle qui soit une excuse suffisante pour s'autoriser à continuer à vivre.

Les ivrognes du village, les alcooliques et les fainéants furent bientôt ses seuls clients. Leur présence lui apporta la sécurité d'une habitude puis un contentement qu'elle mit au compte de l'amitié. « Vous êtes mes seuls amis », murmurait-elle émue en levant son verre vers eux. « Oui, nous sommes vos amis, madame Fauteux. À nous, vous pouvez raconter votre malheur... » C'était vrai, ils étaient devenus des amis mais demeuraient quand même des clients, des clients finauds, conscients; en entretenant la douleur de Joséphine, ils précipitaient et multipliaient les tournées offertes par la patronne. Ils avaient découvert le mouvement perpétuel, disaient-ils, hilares, et un état qui leur faisait admettre l'éternité. « Une éternité bienheureuse », ajoutait Joséphine en sanglotant doucement. Sa tristesse était devenue statique, immense. Elle s'y était taillé un nid, y vivait avec volupté et une ferveur pathétique. Ses amis ne cherchaient pas à comprendre. Ils étaient six ou sept, selon les jours, adeptes tolérants d'une secte temporaire qui, dans l'ivresse, consommaient leur raison d'être. Ils passaient leur journée ensemble, réconfortés. Quand Joséphine tout à coup, s'inquiétait: « Mon Dieu, les provisions diminuent... » ils répondaient: « Pourquoi penser à l'avenir, Joséphine, nous sommes si bien dans le présent... » Elle acquiesçait tout de suite:

— Oui c'est vrai, il faut vivre dans le présent.

Et les yeux embués de larmes, elle ajoutait:

— Et dans le passé... surtout celui qu'on a choisi.

— C'est comme tu veux, Joséphine...

Quand elle allait les reconduire après la soirée, sur le perron, tous, ils titubaient. Joséphine s'accrochait au chambranle de la porte. Elle disait toujours, et c'était comme si elle allumait une petite lumière:

— Mes amis, je vais vous faire une confidence.

Les hommes se retournaient vers elle et attendaient, patients.

— Et puis, si vous le répétez, tant pis, ajoutait-elle, folâtre.

Le moins saoul donnait la réplique habituelle.

— Vas-y, Joséphine, on t'écoute.

Elle se penchait vers les ivrognes, se retenant d'une main à l'encadrement de bois et, frémissante, excitée, chuchotait:

— Mes amis... il m'a aimée, Hector. Oui, oui, il m'a aimée!

Et puis, subitement, elle faisait un petit saut en arrière et fermait la porte.

L'indiscret canotier

Les églises de la région surplombent leur village respectif. Si vous descendez des hauteurs de Dorchester vers la Beauce, vous l'observerez facilement. La route dévale d'un plateau à l'autre, vous offrant à chaque palier, des vues imprenables, des immensités grandioses où viennent mourir les Apalaches en vagues successives. Aux confins du paysage surgissent bientôt les monts Adstock et Orignal. Ils se dessinent à l'horizon en dessins japonais. À ce moment précis de la descente, vous repérez d'un seul regard circulaire quatre villages; deux sont piqués sur le pli saillant d'une montagne, les deux autres s'étalent en rond sur des plateaux. Vous apercevez la masse confuse des habitations mais distinguez surtout l'église élancée qui du haut d'un button ou d'un cap domine l'environnement, à la merci des intempéries, du nordet et des disettes d'eau. Ce choix apparemment irrationnel ne fut pas arbitraire. Il répondait sans doute aux exigences des mythes du sacré ou au souvenir des châteaux féodaux des vieux pays. Leur présence me fascine depuis que les pôles d'attraction en se déplaçant ont fait se retirer les marées; les églises maintenant ressemblent à d'immenses navires échoués. Situation temporaire, sans

132

doute. Les mouvements religieux nouveaux, le courant charismatique entre autres, feront peut-être un jour remonter le niveau des eaux et renfloueront les maisons de Dieu!

Il n'est pas indiqué de s'interroger sur les églises alors que justement nous nous acheminons vers la sacristie du village de Saint-Robert, une bâtisse charmante, en pierres d'origine locale, d'une architecture pure. Elle s'adosse humblement à l'église pour témoigner du rôle modeste qu'elle a tenu jadis alors qu'elle aurait facilement répondu aux besoins d'une population plus réaliste, moins extravagante, en un mot moins latine. Reléguée à la seconde place, elle se contenta de servir de vestiaire aux officiants, de baptistère, de refuge dominical aux débiles, aux vieillards, aux femmes enceintes, aux mères chargées d'enfants braillards et aux pauvres qui n'étaient pas vêtus selon les convenances, c'est-à-dire selon une conformité qui obéit à la prétention des riches et à l'amour-propre des indigents. On y gardait aussi les Saintes Espèces et y célébrait la messe durant les mois d'hiver.

Ce soir, elle tient lieu de salle d'audience pour une enquête du coroner. Le bedeau a soufflé la lampe du sanctuaire, ouvert les battants de la balustrade et installé, devant l'autel, une table étroite et longue qui remplira double office: un côté est réservé au coroner et les deux extrémités, aux avocats. Les chaises placées à gauche du chœur sont déjà occupées par les membres du jury. Ils sont six, endimanchés, d'âge mur. L'importance de leur rôle, pour précaire qu'il soit, leur confère une dignité qui camoufle mal leur nervosité. L'enquête tarde à commencer. Ils sont là, fébriles, acteurs en transe qui attendent le lever du rideau. Le parterre est rempli. La plupart des assistants sont venus par curiosité et pour satisfaire au goût prononcé et morbide qu'ils ont pour ce genre de spectacle qu'est une enquête du coroner. Un drame, une tragédie où seront évoqués des personnages qui sont morts pour vrai, se sont fait arracher les membres, défoncer le crâne; où l'on imagine des autos tordues, des clôtures arrachées comme accessoires de décor. À l'intrigue du mélodrame s'ajoute l'énigme d'un roman policier auquel participe une partie de la population. Il faut découvrir un coupable. Entre l'accident et l'enquête, le délai est suffisant; les autochtones ont déjà inventé leur propre scénario. Ils ont étudié les lieux de la tragédie, recueilli les témoignages, inventorié les rumeurs. Elles sont nombreuses cette fois-ci puisque la collision entre les deux automobiles a provoqué la mort de quatre personnes de la région. Les détectives improvisés sont prêts à rendre jugement. Sera-t-il conforme au verdict des jurés? Voilà où se trouve l'intérêt de ce jeu passionnant.

Les parents des victimes décédées occupent les premières rangées. Ils sont blêmes dans leurs vêtements de deuil et leurs regards tendus vont de l'horloge à la porte. L'enquête du coroner tarde vraiment trop à commencer.

Sur les murs, tout autour de la pièce, sont pendus les cadres dorés où figurent tous les curés de la paroisse. Les plus anciens ont des poses affectées qui résultent des exigences anciennes de l'artiste-photographe: relevez la tête... ne bougez plus... fixez l'ouverture de l'appareil... retenez votre souffle... je compterai jusqu'à dix... Les têtes figées, renversées, présentent des mentons insolents et des regards obliques. Les curés du siècle présent bénéficiant de l'instantané ont immortalisé leur physionomie chaleureuse de fils d'habitant. Ils sourient malicieusement, semble-t-il, de la concentration apparente de l'assistance qui sursaute quand même à l'entrée tapageuse des officiels.

Le coroner va occuper son fauteuil en mâchonnant un cigare. Les avocats l'ont précédé et fouillent déjà dans leurs dossiers. Chaque famille surveille avec application le procureur dont elle a retenu les services et suspecte déjà les autres, qui représentent des compagnies d'assurances diverses dont les intérêts réciproques vont entrer en conflit.

Profitant de ce branle-bas, madame Héroux a entrouvert doucement la porte d'entrée, juste assez pour s'y glisser et se dirige sur la pointe des pieds vers la chaise que le bedeau lui a indiquée. Cette circonspection attire aussitôt l'attention générale et la timide madame Héroux sent converger vers elle les regards; quelques-uns s'adoucissent de sympathie mais le plus grand nombre s'allume d'une curiosité cruelle. Un silence presque agressif s'ensuit et madame Héroux incline la tête sous la violence muette du verdict. Elle ignore que la rumeur publique tient son mari responsable de l'accident. Qu'il y ait trouvé la mort atténue peu la désapprobation silencieuse mais tangible de la vindicte populaire. Le bedeau, devant la détresse de la veuve, va glisser un mot à l'oreille du coroner, qui écrase précipitamment son cigare.

— Vous pouvez venir ici, madame... Ici près de la table, dit-il avec un empressement affecté. Vous pourrez vous retirer sitôt que nous aurons reçu votre déposition.

Madame Héroux se dirige à l'intérieur du chœur et se place de biais près de la balustrade. Selon que vous êtes à droite ou à gauche dans l'assistance, elle apparaît de dos ou de profil. Ses traits sont énergiques, son visage calme sauf à la hauteur de la mâchoire où l'on remarque un tressaillement comme une palpitation d'oiseau blessé. Elle porte un canotier de paille noire. Pour ajouter à l'austérité de la circonstance, elle l'a incliné sur son front mais ainsi il dégage davantage la nuque qu'il rajeunit en l'allongeant. On ne lui donnerait pas ses quarante ans.

Son avocat la questionne d'une voix protectrice, soulignant ainsi qu'il présume de la culpabilité de son mari. Les autres procureurs lui font préciser certaines déclarations en évitant de la regarder. Ils procèdent à l'interrogatoire comme on traverse un marécage recouvert d'une mousse spongieuse, en courant pour ne pas enfoncer. Madame Héroux répond d'une voix ténue que son mari ne laissait jamais son garage, qu'il était vaillant à l'ouvrage, toujours sobre et d'une humeur égale. Il ne laissait jamais son garage à l'exception du mardi évidemment. Il allait ce jour-là, par affaires, à la ville voisine. Avant, il envoyait son employé mais, depuis deux ans, il y allait lui-même. C'était plus sérieux, avait-il dit en guise d'explication pour qu'elle consente à cette absence. À une question de son avocat, elle explique qu'il allait acheter des pièces détachées pour réparer des automobiles usagées. À quelle heure rentrait-il? Elle ne s'en était jamais préoccupée ni aperçue. Comme elle était forcément pompiste ce jour-là, elle se couchait tôt, très fatiguée, et dormait d'un sommeil de mort. Elle a un pauvre sourire gêné et se reprend aussitôt... elle dormait d'un sommeil de plomb.

— Je vous remercie, madame, vous pouvez vous retirer, dit le coroner d'une voix doucereuse.

En se retournant pour franchir les battants de la balustrade, la veuve baisse les paupières comme on descend un rideau protecteur sur une vitre fragile. Elle se dirige vers la porte d'un pas silencieux, rapide, le dos courbé sous les regards fouineurs.

La porte est à peine refermée que l'atmosphère se modifie comme si elle était maintenant imprégnée d'incertitudes, voire d'antagonismes. L'assistance s'ébroue, les avocats s'agitent, étalent leurs dossiers. On vient de passer brusquement du salon mortuaire (le deuil de madame Héroux imposant une relative discrétion) au bureau des assurances.

On dépouille le défunt des prérogatives qui lui échoient dans cette ultime situation: le droit à la compassion et à l'indulgence. On l'arrache du chagrin familial, lui refuse les circonstances atténuantes, lui dénie tous sentiments. On l'abandonne au rôle absolu de présumé coupable. Les représentants des compagnies d'assurances sont appliqués et tendus. Qui est responsable de l'accident, c'est-à-dire laquelle des compagnies aura à payer les indemnités, doubles en cas de mort accidentelle? Leurs honoraires suivant la même progression, les avocats présents sont beaucoup plus calmes. Évidemment, ils auraient préféré des blessés plutôt que des macchabées moins rentables mais enfin, l'accident, fatal ou pas, pour eux c'est la manne. À partir de cette réalité rassurante, ils acceptent avec sérénité les fluctuations imprévisibles du montant de leurs frais.

Les héritiers respectifs de chaque défunt oublient temporairement leur chagrin. Assis sur le bout de leur siège, ils observent avec acuité tous les manèges de l'opération tout en spéculant secrètement du résultat final de leurs réclamations.

L'attention générale bientôt se concentre vers le coroner, se suspend à ses lèvres pour entendre le nom du premier témoin. Ainsi, à l'insu de tous, madame Héroux peut revenir dans la sacristie par la porte arrière, se glisser sur une chaise dans l'encoignure discrète que forment le mur arrière et un confessionnal. Elle jette un regard inquiet vers l'assemblée, paraît soulagée qu'on ne la remarque pas, s'adosse au dossier de la chaise, relève le bord de son canotier pour mieux suivre les interrogatoires et ne bouge plus.

Le ton des voix s'est tellement modifié d'ailleurs qu'il lui semble qu'elle n'est plus concernée. Le débat est impersonnel pour le moment mais on sent que les participants sont prêts à toutes les férocités, aptes à livrer les plus difficiles combats. Elle est rassurée quand même puisqu'on parle maintenant une langue qui lui est peu familière: la langue des affaires.

Le coroner appelle le premier témoin. Ce dernier prête serment d'une voix monocorde, forte et distraite. Votre métier? — Hôtelier, répond-il précipitamment en relevant la tête d'une façon combative comme si l'enquête le concernait personnellement, comme si elle avait pour but immédiat de le faire encore une fois emprisonner pour vente illicite d'alcool. Son réflexe de défense est acquis de si longue date qu'il peut difficilement s'en défaire.

— Connaissiez-vous monsieur Héroux?

La question aussitôt le rassure, il se détend, s'épanouit même en souriant du coin de l'œil. Est-il assez bête! Bien sûr, il ne s'agit que de monsieur Héroux, de cette mort en fait qui ne le concerne pas, mais pas du tout.

— Je le connaissais pas beaucoup personnellement, non...

— Il allait tout de même chez vous assez souvent?

— Bien sûr, comme tous mes clients... dit-il avec un haussement d'épaules.

— Il y allait quand au juste?

— Tous les mardis, monsieur. Un mardi invariable. Un mardi que je savais par cœur. Sauf la température qu'il ferait et la couleur de sa cravate.

Il s'esclaffa mais s'aperçut aussitôt que le moment était mal choisi pour jouer de son humour habituel avec cette dextérité particulière qui l'habilitait dans

138

un registre étendu qui allait de l'espièglerie au cynisme. Il fit une pause. Le temps de rajuster son tir, le timbre de sa voix et il dit très sérieusement:

— Monsieur Héroux arrivait à l'hôtel vers les neuf heures. Pour être plus exact, je dirais neuf heures précises. Il commandait un gin, en prenait une gorgée, demandait de la monnaie, se dirigeait vers la cabine du téléphone et signalait l'interurbain.

— Comment saviez-vous que c'était l'interurbain? s'étonne le coroner.

— La porte de la cabine est vitrée... Je peux compter le nombre de chiffres signalés. Pour l'interurbain, c'est un de plus.

— Vous comptez toujours?

— Quand il y a pas beaucoup d'ouvrage... C'est normal que je me désennuie à quelque chose.

— Qu'arrivait-il quand il avait la communication? L'hôtelier avait retrouvé son naturel.

— Ça, je peux pas le dire. Il se retournait vers le mur, malheureusement! En général, les gens ont la gueule si expressive que je pourrais, si je le voulais évidemment, suivre les conversations...

Il s'arrêta de parler, finaud, en clignant de l'œil vers l'assistance.

Il avait passé sa vie derrière son comptoir qui servait de bar en même temps que de pupitre de réception. Sans foi, ni loi, il n'avait toujours respecté que les signes amicaux du tiroir-caisse et les agréments multiples de la plaisanterie.

— Après son téléphone, il partait monsieur Héroux?

L'hôtelier ne répond pas directement. Il connaît certains principes d'éloquence qui permettent de différer une réponse pour mieux la préparer.

— Chaque client a ses manies et ses habitudes, monsieur le coroner, dit-il lentement pour se donner le temps de réfléchir que dans toute cette histoire, il n'y a rien à craindre pour lui.

— Après le téléphone, qu'arrivait-il? s'impatiente le procureur.

— Après le téléphone, il revenait au comptoir... Il était d'équerre c'est certain mais distrait comme s'il était déjà parti ou plutôt comme s'il attendait pour partir un coup de sifflette...

L'hôtelier retrouvait sa volubilité naturelle.

— Il s'accoudait au bar, pour finir son gin, continua-t-il. On se racontait les dernières blagues, les dernières histoires, bien sûr qu'il riait mais sans lâcher de l'œil l'horloge qui était au mur derrière moi. Quand l'aiguille tombait sur la demie je pouvais jurer que c'était la demie, il se levait. Même si on rognait une phrase ou coupait une histoire, il partait comme s'il avait le feu au hangar. À la semaine prochaine, qu'il disait. C'est tout.

— C'est tout?

— Ben oui, c'est tout... En résumé, ce que je connais de lui, c'est un seul gin.

Le deuxième témoin est un autre hôtelier, d'un genre différent pour ceux qui connaissent l'espèce. Il a la face rubiconde, la bouche blasée, la paupière lourde et affaissée. Dans l'exercice de son métier, il ne voit rien, ne sait rien, n'entend rien. Les exigences du commerce commandent sa morale. Autant le premier est bavard et s'amuse, autant le second a pris au sérieux le rôle que lui a dévolu une société décadente, pressée et mercantile. D'ailleurs, le deuxième témoin n'a de l'hôtelier traditionnel que le nom, puisqu'il est propriétaire d'un motel de vingt unités. Il le connaissait si peu monsieur Héroux qu'il se demandait vraiment s'il valait la peine d'être entendu...

— Vous êtes ici pour témoigner, dit l'avocat d'une voix autoritaire.

— C'est difficile de se souvenir.

L'hôtelier a la voix désolée.

— Vous savez que vous êtes assermenté?

Le serment est sacré, il le sait depuis toujours riposte-t-il et s'étonne que l'avocat insinue qu'il puisse douter de son importance, surtout devant la cour...

L'avocat bondit.

— Je n'insinue rien mais je vous demande si vous vous souvenez ou non de monsieur Héroux?

— Il passe tellement de voyageurs... même si je n'ai que vingt unités, je peux pas tout observer.

— Vous parlez oui ou non? tonne l'avocat dans un emportement qui fait remuer l'assemblée. Il s'en faut peu, semble-t-il pour qu'elle applaudisse.

L'hôtelier, imperturbable, laisse passer la colère comme une flèche perdue. Il se retourne vers le coroner et s'adresse à lui d'une voix neutre. Il commence l'inventaire de la faune dont il vit pour n'avoir pas à lever le gibier demandé.

— Voyez-vous monsieur le coroner, ma clientèle est diversifiée. Il y a la locale, la provinciale et l'américaine. Les clients de la première catégorie arrivent à la sauvette les oreilles en l'air comme des lapins. Ils ne marchandent jamais sur le prix de la location. Je fais quand même une réduction...

Il garde un ton indifférent mais fait une pause, conscient sans doute de l'inconvenance de cette publicité mais désireux de ne pas rater une si belle occasion.

— La clientèle américaine tâte le matelas et les prix. Plus elle est riche, plus elle en veut pour son argent. Quant à la provinciale, rien à signaler, des voyageurs de commerce, ponctuels et réguliers, faciles à satisfaire une fois qu'on a connu leur horaire et leurs manies.

Le sourire trouble du coroner signale qu'il aurait

aimé une étude plus exhaustive mais l'avocat du ministère de la Justice assène un coup de poing sur la table. Les spectateurs sursautent, les dossiers s'éparpillent, le coroner arrête de sourire pendant que les autres avocats paraissent inquiets de perdre leur suprématie.

— Vous parlez ou vous ne parlez pas? crie l'avocat exaspéré.

L'hôtelier soulève les épaules, jette vers l'assistance un regard de victime: en temps normal, sa discrétion est absolue mais que voulez-vous qu'il fît contre la loi? Il prend un ton doucereux.

— Oui, je le connaissais monsieur Héroux. Il venait tous les mardis après le souper. Il louait toujours le numéro treize. C'est discret. C'est en arrière du motel, ça donne sur un petit bois. Il le louait pour la veillée.

— Était-il accompagné?

— Comment voulez-vous que je vous réponde! s'exclame l'hôtelier, outré qu'on lui pose une telle question. Vous n'êtes jamais allé dans un motel, monsieur l'avocat? Au motel vous allez chercher la clef à l'office, vous allez la reporter, c'est tout. Vous y restez le temps que vous voulez...

— L'avocat mal à l'aise ne trouve pas sur-le-champ le moyen de fermer l'écoutille. L'hôtelier en profite:

— Le motel, monsieur, c'est une île déserte, le motel, c'est la liberté!

À la fin de ce monologue intempestif, l'assistance hésite entre l'hilarité et la consternation. Les officiels baissent les yeux dignement pour garder leur sérieux et l'avocat de la couronne pris au dépourvu perd le fil de son sujet.

— Merci de votre témoignage, dit-il en souriant, merci monsieur. Qu'on appelle le prochain témoin.

— Connaissiez-vous monsieur Héroux?...

— Connaissiez-vous monsieur Héroux?...

Plusieurs hommes se font entendre. Bien sûr, ils le connaissaient mais à les écouter on remarque aussitôt qu'ils ne possèdent qu'une notion fragmentaire de la vie de monsieur Héroux selon qu'ils abordent le mardi ou la semaine. Une semaine de six jours qui n'a jamais tenu compte du septième, ce jour escamoté, porté au bilan en encre invisible. Une semaine parfaite de mari modèle et de père attentif. Une semaine, en fait, complète puisque le mardi n'était pas un jour, c'était une autre vie.

Au cours des témoignages, derrière le garagiste se profile bientôt un personnage ambigu, un personnage surprenant que personne ne connaît vraiment. Cette découverte ne semble pas préoccuper les avocats qui suivent un plan défini: ils calculent systématiquement les quantités d'alcool que les chauffeurs des deux voitures ont eu l'occasion de boire le jour de la catastrophe. Ils étudient sur des photos agrandies le tracé des pneus sur l'asphalte. Les positions des voitures accidentées leur sont décrites par des agents de circulation et confirmées par d'autres policiers.

Ces éléments essentiels paraissent subitement insignifiants aux personnes de l'assistance qui n'en reviennent pas des révélations entendues. Ils chuchotent entre eux; unis dans une même consternation. Sauf quelques-uns qui sourient d'un air de complicité. Monsieur Héroux, ce parent, ce voisin, cet ami devient un inconnu, un personnage mystérieux, un homme à double vie, à double face. Comme un tiroir à deux fonds. Un acteur malhonnête qui a joué les scènes les plus importantes dans les coulisses!

Le monsieur Héroux du mardi est aussi vrai que celui de la semaine mais le mal vient qu'on n'en a connu qu'un seul. C'est inacceptable et aussi frustrant que de posséder un diptyque dont il manque un volet!

Tu parles! Qui aurait pensé! lit-on dans les regards étonnés que s'échangent les hommes. Les femmes ne se regardent pas entre elles. Certaines observent leur mari avec une attention qui en énerve plusieurs. D'autres, par une concentration qui semble douloureuse, s'efforcent d'éveiller en elles-mêmes le don de clairvoyance. L'atmosphère troublée se tend d'un malaise confus. On appelle le dernier témoin. Heureusement. Autrement, c'en était fait de la quiétude des assistants.

Le dernier témoin s'avance d'un pas assuré. De lui émane la sérénité et une bonté irradiante qui calme l'assemblée.

— Monsieur le coroner, commence-t-il d'un ton pathétique, monsieur le coroner, Ludovic était mon ami. Le mardi comme le reste de la semaine.

Après ce fervent acte de foi, l'ami raconte avec émotion qu'il connaissait Ludovic Héroux depuis les bancs de la petite école, qu'il l'estimait beaucoup et l'avait toujours accepté tel qu'il était. Il fait une pause et conclut avec une voix exaltée:

— C'est le devoir de l'amitié.

Un avocat demande d'une voix acerbe si l'amitié pouvait justifier la conduite qu'il avait eue en arrivant sur les lieux de l'accident.

— Votre conduite est très grave, insiste le coroner. Vous n'étiez autorisé par personne et vous avez enlevé le corps ensanglanté d'une femme agonisante. Vous vous êtes, pour ainsi dire, enfui avec elle.

L'homme incriminé courbe la tête. Il est subitement inquiet. Il desserre le nœud de sa cravate, semble réfléchir avec intensité avant de retrouver l'assurance de ses convictions. Il admet simplement:

— Je le sais, ce n'est pas régulier. Mais je peux jurer

144

sur la tête de ma mère que mon geste n'était pas mal intentionné. Je ne voulais pas aller à l'encontre de la loi. C'est ma manière naturelle d'agir, explique-t-il avec simplicité.

Puis il retrouve le ton pathétique de son chagrin.

— L'amitié ne calcule pas... ou plutôt elle calcule bien. Même si elle le fait sans réfléchir. Je n'ai pensé qu'à la femme de mon ami, je vous le jure. Apprendre la mort de son mari, vous ne trouvez pas que la douleur était suffisante?

Le silence de l'assistance est saisissant et favorable au témoin. Malgré les quelques remarques désobligeantes des avocats, les remontrances du coroner, l'ami ne désarme pas. Il termine son témoignage d'une voix obstinée et tremblante:

— Ce que j'ai fait pour mon ami, faites-en ce que vous voudrez, condamnez-moi si vous le jugez nécessaire, mais moi je ne le regrette pas.

On entend le bruit sourd d'un corps qui choit sur le plancher et un fracas de chaises bousculées. Les assistants se retournent mais ne voient rien. Sauf le canotier de paille noire qui roule dans l'allée en sautant à chaque tour comme un cerceau brisé.

L'affranchie

Il ouvrit la porte brusquement, enjamba le seuil comme si ce dernier eût été haut de trois pieds, demeura un instant immobile pour décupler l'effet de son arrivée puis concentra dans son bras droit toute son énergie pour rabattre derrière lui la lourde porte. Les portraits de famille accrochés au mur adjacent quittèrent instantanément le plan horizontal. La tête de l'aïeul, celui-là justement qui avait construit la maison, pencha brusquement vers la droite et apparut en équilibre sur un de ses favoris blancs. Le coucou de l'horloge choisit ce moment pour sortir de sa case à moins qu'il n'en eût été expulsé par la secousse cosmique qui venait d'ébranler la cloison. Cou-cou, cou-cou... Onze heures, remarqua Catherine en réprimant difficilement le fou rire qui l'envahissait. Cou-cou, cou-cou... Le mari maintint en position ses gestes pathétiques, son attitude tragique mais sentit qu'il devenait ridicule et grotesque. « Ferme ta gueule, ta maudite gueule », hurla-t-il en direction de l'oiseau qui continua ses cou-cou sur fond sonore: le ressort mal huilé de l'horloge grinçait. La participation inopinée de l'oiseau transformait un drame conjugal en comédie de boulevard. Catherine était reléguée au second rôle, un rôle muet, plutôt rassurant. Quelques réflexions saugrenues montèrent à son esprit enrayant la frayeur que normalement elle eût ressentie devant cette colère terrible de son mari. Elle regarda l'oiseau avec reconnaissance puis s'amusa intérieurement d'une scène qui loin de l'effrayer lui permettait de réfléchir à l'importance bien relative de certaines émotions qui peuvent varier, sans raison profonde, sous l'influence pernicieuse d'un futile détail comme l'était cette apparition subite et imprévue du coucou de l'horloge. Elle imagina d'autres incidents cocasses, d'autres situations abracadabrantes et ne put s'empêcher de sourire en pensant que son mari, en piquant sa colère, aurait pu perdre son pantalon.

— Et voilà que tu ris par-dessus le marché, hurla-t-il en brandissant vers elle un poing menaçant et une lettre qu'elle reconnut.

Elle perdit aussitôt le goût de rigoler et replia son bras à la hauteur de son visage. Le coucou s'était tu. Il s'était retiré dans sa cage, les laissant l'un en face de l'autre dans des postures de combat.

— Qu'est-ce qui t'a pris? Es-tu folle?

— De moins en moins, je t'assure, répondit-elle faiblement, inquiète des réactions possibles de cette violence en effusion.

— M'envoyer une mise en demeure par avocat, à moi, ton mari! Tu te rends compte! As-tu un bardeau de parti dans le pignon?

Elle ne répondit pas mais remarqua qu'il pompait l'air difficilement et qu'il ne pourrait tenir longtemps ce registre de ténor d'opéra.

— À moins, bondieu, qu'à cause de toutes ces singeries de l'année de la femme, tu te prennes pour une révolutionnaire?

Elle demeura coite, réalisant qu'il était préférable qu'il dépensât seul son carburant. Il avança d'un pas,

147

répéta ce geste qu'il voulait apeurant mais qui perdait déjà de sa vigueur. Rien n'est aussi frustrant que de poursuivre une proie amorphe; c'est pêcher une carpe dans une fosse à saumon. Il laissa subitement tomber ses bras et demanda plutôt découragé qu'agressif:

— Mais enfin, Catherine, tu aurais pu m'en parler...

— Et risquer de me faire étriper?... Non, merci!

— Tu risques moins avec une lettre d'avocat?

— Je crée ainsi une zone tampon et je me donne un témoin!

— Et tu mêles un avocat à nos affaires de famille, c'est du propre!

— Vaut mieux engager un arbitre tout de suite qu'un procureur pour plaider aux Assises criminelles, tu ne trouves pas?

Ils avaient atteint le paroxysme de leur escalade verbale. Ils s'y reposèrent comme sur un palier, immobiles quelques instants, étonnés d'eux-mêmes, de leurs réactions réciproques et se regardèrent avec embarras. Catherine la première retrouva le contrôle d'elle-même et demanda, d'un ton radouci, avec sa voix de tous les jours:

— Albert, si je t'avais demandé, de vive voix, cette donation, tu me l'aurais accordée?

Il parut réfléchir intensément mais il n'est pas certain que sa réponse fut conforme à la vérité qu'il venait de découvrir dans son for intérieur.

— Sans doute que je te l'aurais donnée, dit-il d'une voix doucereuse, puisque je te la dois par contrat de mariage.

— Tu m'as avantagée de cinq mille dollars, c'est un fait, mais dans ton esprit, Albert, cette clause du contrat faisait plutôt partie de ton testament?

— Je peux pas te le dire, je n'ai jamais imaginé que tu pouvais réclamer cette donation!

— Ce n'était pas sérieux alors?

— C'était sérieux puisque j'ai pris la peine de l'inscrire dans le contrat!

— Ben alors, je comprends pas pourquoi tu fais tant de manières!

— Je ne fais pas de manières mais je peux tout de même te dire que je considère que tu me prends en traître!

— Non, pas en traître, en loi, reprit-elle de nouveau implacable.

Il considéra sa femme, un instant perplexe, puis décida qu'il avait peut-être plus de chance de l'émouvoir en changeant l'angle de son tir.

— Je t'ai déjà refusé quelque chose? demanda-t-il mielleux.

— Je sais ce que je peux demander sans me faire humilier d'un refus.

— Ce que je possède t'appartient aussi, tu le sais.

— Un partage à faire au pied de ta tombe... si je ne suis pas déjà dans la mienne! Comme projet d'avenir, tu trouves que c'est excitant?

— Je te consulterai plus souvent si tu veux...

— Les fois où tu m'as demandé conseil, tu n'as fait qu'à ta tête! Alors un peu plus ou un peu moins...

— Moi? Je ne fais qu'à ma tête? Donne-moi un exemple, s'il vous plaît. Une preuve... Je veux une preuve.

— J'en ai mille, je vais t'en donner une qui sera suffisante j'espère, dit-elle rassurée de constater qu'il utilisait des arguments plutôt qu'une gifle pour essayer de la convaincre. Elle continua d'une voix lente:

— Tu te souviens quand j'ai voulu acheter les deux énormes marmites en aluminium? Je voulais y mijo-

149

ter des soupes, des ragoûts... enfin des plats qui auraient donné un petit air de famille à la pizza, au spaghetti italien et au chop suey chinois qui sont au menu depuis deux ans. Quand je t'ai dit combien coûteraient les chaudrons tu as hurlé comme si je voulais te dévaliser. J'ai dû me rabattre sur la tarte au sucre et le pouding au pain pour ne pas perdre la clientèle des routiers. C'est vrai ou c'est pas vrai, Albert Veilleux?

Albert Veilleux ne pouvait répondre, il était sidéré. Cette femme qui pointait vers lui un doigt accusateur, c'était la sienne? Celle avec qui il vivait depuis vingt-cinq ans?... Mariés aux pieds des autels... deux garçons au cegep... deux filles waitresses dépareillées... qui gagnent déjà leur vie... un restaurant rentable avec bar attenant décoré de danseuses mexicaines... et puis la maison familiale dont il a hérité pour avoir gardé les vieux jusqu'à leur mort; sur la façade de laquelle il a greffé le restaurant après avoir enlevé la galerie et bouché les fenêtres du salon... Qu'est-ce qui lui prenait tout à coup de se déchaîner de cette façon!...

— Tu te souviens, Albert Veilleux, qu'au début de notre mariage on se devait le cul?

— Oui, acquiesça-t-il, aussitôt saisi que sa femme puisse aussi être grossière.

— On a relevé nos manches, Albert Veilleux, pis on a travaillé en maudit. Sans parler des enfants que j'ai eus, des vieux que j'ai soignés, de la maison que j'ai torchée. Pourquoi qu'après vingt ans d'efforts tu disposerais seul et à ta guise de tout cet argent qu'on a gagné ensemble?

Il fit un effort apparent pour réfléchir à cette question, sembla-t-il. Elle eut un instant l'espoir qu'il émergerait subitement de ce mythe millénaire, de cette mer de préjugés dans laquelle il était englué depuis un temps immémorial.

— L'argent est à nous deux, je te l'ai déjà dit. Je peux te le répéter si ça te fait plaisir... Si j'en ai disposé plus facilement c'est parce que j'ai toujours cru que ça me revenait... les hommes ont plus le sens des affaires... c'est reconnu oui ou non?

Voilà de quelle minable souris venait d'accoucher le matou, pensa-t-elle de nouveau hors d'elle-même.

— Cette sublime vérité est traduite en combien de langues? cria-t-elle.

Il la regarda avec étonnement puis conclut qu'une compréhension mutuelle était impossible entre eux puisqu'elle ne voulait rien admettre. Il décida donc d'utiliser sa panoplie familière, celle de l'autorité.

— Alors tu ne changes pas d'idée? questionna-t-il avec un crescendo dans la voix. Tu le veux ton douaire? Le dernier mot prévu comme l'apothéose d'une ligne mélodique ascendante eut un grincement de poulie. Il se tut mais avança d'un autre pas, les bras dressés, rigides, l'œil rouge, le front mouillé d'une noble sueur, celle de l'indignation. Elle ajouta au tableau une tunique, une colline découpée sur un ciel lumineux et reconnut Moïse s'apprêtant à briser les tables de la loi! Elle avait prévu la colère éclatante, la fureur déchaînée mais oublié ce noble et ridicule courroux de patriarche offensé. Elle en fut apaisée sur-le-champ.

— Alors tu ne changes pas d'idée, répéta-t-il en brandissant de nouveau le poing.

Un poing énorme mais exsangue, plus comique que menaçant. Catherine, après un silence calculé, d'une voix lente, laissa rouler comme des gouttes de mercure sur un papier glacé, ces mots décisifs:

— J'ai ouvert un compte à la Caisse à mon nom de

jeune fille... Tu n'auras qu'à y déposer les cinq mille piastres que tu me dois.

Pendant les secondes qui suivirent, il demeura figé dans sa pose théâtrale. Elle le trouva beau, ma foi, immobilisé dans cette attitude. Quel dommage qu'elle ne puisse le poser ainsi sur une stèle dans le jardin pour en faire un monument commémoratif à la mémoire de ce combat important qu'elle livrait, qui lui garantirait une autonomie économique, pilier indispensable à l'édification de son avenir. Elle répéta, gardant à sa voix une gravité et une maîtrise saisissantes:

— Tu n'as qu'à transférer l'argent que tu me dois à mon compte personnel.

En disant ces mots qui tombaient d'aplomb, elle envisageait son Moïse non pas avec provocation mais avec une conviction entêtée qui le fit bientôt capituler. C'est l'Albert quotidien qui descendit de la colline, alla vers l'évier, fit couler l'eau longtemps avant de se servir à boire. Catherine remarqua que le gobelet qu'il portait à ses lèvres était agité d'un léger tremblement. Il eut un dernier sursaut avant de partir. Il se retourna vers elle en criant:

— Tu me paieras ça!

Catherine pensa qu'il ratait même sa défaite. La porte de nouveau claqua. Par la fenêtre, elle le vit sauter en bas du perron de la cuisine sans toucher aux marches de l'escalier. La Chevrolet tourna sur deux roues au coin de la maison en projetant dans la vitre derrière laquelle elle se tenait, une volée de cailloux. Le verre résista. C'est de bon augure, pensa-t-elle en se laissant tomber dans sa berçante, béate de contentement, image insolite et touchante de l'humilité victorieuse.

Quand Albert revint de chez le notaire, il avait l'air plus fatigué que vaincu, ce qui plut à Catherine: une égalité acquise à coup de mortifications réciproques lui paraissait d'un bas niveau. D'ailleurs, les enfants étaient revenus du cegep, s'affairaient dans la cuisine et elle avait repris son poste au comptoir du restaurant. Il fila au bar pour servir les clients qui venaient d'entrer. Il ne fut plus question entre eux de ce douaire que par quelques allusions de la part du mari. Allusions le plus souvent moqueuses où transperçait une inquiétude réelle au sujet du placement de cet argent; son orgueil de mâle l'empêcha longtemps de s'en informer directement.

Rien ne fut changé à leur vie conjugale mais le mercredi désormais lui appartenait à elle exclusivement. Il la regardait monter dans l'autobus de dix heures en direction de la ville voisine et ce départ qui ressemblait à une menace imprégnait le reste de la journée d'un climat incertain, un peu oppressant. Quand Catherine revenait par l'autobus de six heures, Albert était toujours appuyé à la vitrine du restaurant. Il la voyait traverser à grandes foulées la route nationale et le parking. Plus elle approchait plus il s'étonnait, à chaque fois davantage, de son allure décidée, de cette assurance satisfaite qu'il n'avait jamais remarquée. Il lui ouvrait la porte avec une galanterie nouvelle, un peu gauche. Ils demeuraient quelques instants immobiles, étonnés de se retrouver si pareils à eux-mêmes et en même temps si différents. Catherine sentait sur elle la pointe du regard interrogateur qui bientôt prenait la légèreté d'un songe et l'enroulait d'une douce chaleur. Puis leurs eaux un moment mêlées retrouvaient leur propre cours. Albert souriait tendre, moqueur et agacé. Catherine demeurait impénétrable dans l'attente de ce moment inéluctable où il céderait enfin à une impérieuse curiosité. Elle avait une hâte folle de pouvoir se glorifier elle aussi de son sens des affaires et de lui apprendre qu'elle avait investi son capital dans l'achat d'un restaurant, de compagnie avec ses deux filles. En plus d'assurer l'indépendance de ces dernières, waitresses auparavant, le placement s'avérait excellent. Elle allait tous les mercredis tenir le livre de comptabilité et le bilan sifflait déjà un air de victoire, accompagné des relents savoureux du bœuf mijoté et de la tourtière au porc. Avant de se séparer, la mère et ses filles trinquaient d'un verre de vin en rêvant des améliorations subséquentes qui ajouteraient de la qualité aux plats, de l'ambiance à la salle à manger, quelques jours additionnels de vacances. Et ce cadeau ravissant que Catherine rapporterait à la maison pour le placer près de l'assiette d'Albert le jour de son anniversaire. Les semaines passaient rondement sauf que maintenant le mercredi était le jour choisi par Catherine pour remonter le mécanisme de toute sa semaine. Albert, devant cette femme qui auréolait ses qualités indéniables d'un parfum de mystère, devenait de plus en plus attentif. Catherine jugea, un jour, que le moment était venu de violenter la curiosité de son mari et de l'obliger ainsi à rompre ce silence qui les séparait. Elle décida donc de ne rentrer qu'à la nuit tombée. Ses prévisions étaient justes. À peine avait-elle mis le pied dans la maison qu'il était accouru à sa rencontre, complètement désarmé, hagard et volubile.

Il voulait tout savoir en même temps. Où allait-elle le mercredi? L'aimait-elle encore? Avait-elle perdu l'argent? L'avait-elle échangé, lui, pour un amant? il la tenait maintenant par les coudes et la questionnait avec avidité:

— Mais enfin, Catherine, pourquoi que tu t'obstines à ne jamais rien raconter?

Elle s'offrit une dernière victoire.

— Je ne m'obstine pas. Si je ne t'ai pas répondu,

c'est que tu ne m'as jamais rien demandé avant cette nuit.

Il inclina la tête, dut s'avouer vaincu et demanda gentiment:

— C'était si important ce douaire?

— Pas pour toi, mon cher Albert. Elle roucoulait maintenant. Mais pour moi... c'est essentiel... puisque depuis ce jour je me sens libre.

— Tu te sens libre? questionna-t-il douloureusement.

— Ce que tu es bête, Albert. Si je veux être libre, c'est pour pouvoir choisir de vivre avec toi!

L'interminable partie de cartes

Quand madame Côté perdit son mari, elle le pleura avec sincérité dans le fond de son âme et le secret de sa maison. Elle le pleura aussi avec ostentation au salon funéraire. Les larmes de convenance sont un témoignage d'estime, une obligation sociale, comme les couronnes de fleurs ou les offrandes de messes, ces tributs levés selon la tradition. Les coutumes étayent les conventions et facilitent aussi les relations humaines. Le visage du défunt doit être serein, détendu, éclairé discrètement d'une paix intérieure. On doit y effacer le sourire indécent, figé là sur la face refroidie comme le masque qu'un fêtard aurait oublié d'enlever une fois le bal travesti terminé. Le croque-mort avait mal travaillé: monsieur Côté souriait. un rictus qui avait vite fait de rétablir une ambiance *pre-mortem,* d'une inconvenance et d'une incongruité qui perturbaient l'ordre: personne ne se souvient des propos qu'il doit tenir en pareilles circonstances. Les convenances ont aussi leurs exigences.

« Ma foi, il est mort en bonne santé », observa un ami du défunt. Il se tut aussitôt, gêné par l'étourderie de son affirmation. « Il y a des abus qui tirent à conséquences », affirma un autre d'un ton péremptoire. La physionomie trop heureuse de monsieur Côté témoignait d'un usage excessif et pernicieux des bonnes choses de la vie. « Il y a des exercices qui sont à déconseiller après les repas », insinua un autre, l'œil gaillard. « Comment prévoir celui qui est de trop? » songea madame Côté en s'appuyant de la main au cercueil. Regardez-moi cette façon coquine de sourire... pensa-t-elle en s'attendrissant graduellement sur d'indiscrets souvenirs provoqués justement par ce retroussement des lèvres... qui avait été si naturel en certaine occasion... Sa main se détacha du cercueil. Un rappel intense la ramena au pied de leur lit de cuivre. Enlève ta cravate, voyons... Elle va baisser la toile à la fenêtre. Les moineaux piaillent sans arrêt sous la corniche du toit. Elle retire la couverture de laine pour retrouver la fraîcheur du drap. Un courant d'air aspire et repousse la toile de la fenêtre avec un léger mais continuel bruit de succion. « Mazalie, tu es distraite », dit brusquement une femme. « Mazalie, je t'en prie. » On la poussa du coude. « Reprends tes esprits, voyons. » Le visage de la veuve demeura illuminé d'une mystérieuse et inconvenante façon. « Mazalie »... « Mazalie ».

Le prénom suffisait pour désigner cette femme de notoriété publique, qui avait, à son insu, divisé la population du village en deux clans antagonistes. Le premier groupe rassemblait les frustrés, les tartuffes et les incapables. Pour eux, Mazalie avait le feu au cul. Pour les autres, tous les autres, Mazalie était un modèle de perfection: hospitalière, généreuse, aimante. « Si elle n'a pas le sang en eau de vaisselle, est-ce de sa faute? » « Une femme vaillante en plus », ajoutaient les amis du mari décédé.

En effet, la maisonnette qu'elle habitait était impeccable. Le potager aussi. Chaque légume avait sa place.

Chaque rang bien aligné. Des carrés tirés au cordeau. Des allées lisses comme de l'ardoise. Surtout les deux principales qui se croisaient au centre du jardin. L'une conduisait à la clôture parallèle au trottoir et à la rue. L'autre, plus longue, menait au poulailler. Un poulailler où caquettaient des poules heureuses, nourries de grains de blé, d'herbes vertes, de laitue fanée, de queues de betteraves, le tout haché très fin, qui donne aux œufs un goût de verdure et, aux hommes, des vertus particulières. Mazalie disait aussi qu'il fallait mépriser les œufs de magasins, pondus par des poules encagées, nourries à la chimie, qui travaillent comme des mécaniques, sans fierté. Toute sa philosophie personnelle était de cette qualité: élémentaire et saine. Il fallait restreindre ses besoins aux choses essentielles mais leur accorder une importance égale, une attention continue. Il faut peu de choses dans la vie, répétait-elle, mais il importe qu'elles soient belles et bonnes. Il faut que le poêle tire bien, que les chaises bercent bien, que les œufs soient bons, la laine des couvertures douce. Sur le plancher de sa cuisine, au seuil de la porte, le tapis était crocheté de roses. Même s'il n'y avait personne à la maison pour vous y accueillir, vous vous sentiez quand même désiré. Après les funérailles, les voisines vinrent l'une après l'autre frotter la semelle de leurs chaussures sur les roses du petit tapis. Visite de circonstance. Y excellent ceux qui possèdent des dons dramatiques. Avec Mazalie, les effets de voix et les phrases pathétiques tombèrent à plat: elle ignorait les répliques consacrées du répertoire traditionnel. « Il est mort, que voulez-vous que j'y fasse, » s'exclama-t-elle d'un ton navré. « Je n'y peux rien. Ça donnerait quoi et à qui que je cède au désespoir? Que je geigne du matin jusqu'au soir? Et que je dépérisse, peut-être aussi? »

Le premier mois de deuil terminé, Mazalie Côté fit savoir à ses amis qu'ils devaient reprendre leur habitude et revenir jouer au charlemagne. Ils accoururent aussitôt. Et par la fenêtre qui donne sur la rue, on les vit de nouveau attablés au centre de la cuisine, sous le lustre à suspension qui les tenait comme enfermés dans une tente lumineuse. Ils avaient retrouvé intacte leur passion commune pour les cartes et le plaisir quotidien de se retrouver. À la fin de la veillée, en prenant le café, ils parlèrent souvent du défunt, mais sans tristesse, avec une sympathie optimiste qui inventoriait surtout les souvenirs amusants.

— Je ne pourrai jamais aimer un autre homme de cette façon, laissa tomber Mazalie un soir. Des mots échappés par mégarde, semblait-il. À moins que ce ne fût dans un moment de confiance ou d'abandon.

— Tu veux dire que tu ne te remarieras jamais?

Et voilà que s'étalait la phrase indiscrète, inconvenante, que chacun jusque-là avait réussi à réprimer.

— Tu ne changeras donc jamais, bon dieu! s'indignèrent les joueurs à l'adresse d'Hector. C'était en effet une manie déplorable qu'avait ce dernier d'exprimer une pensée commune encore secrète, de poser une question prématurée, de tirer une conclusion hâtive, ce qui suscite toujours un malaise ou provoque des réactions impulsives.

— C'est pas ce que j'ai dit, répliqua Mazalie en élevant la voix d'une façon excessive.

— Tu as dit que tu ne pourrais pas aimer un autre homme...

— De cette façon. Aimer de cette façon, voilà ce que j'ai dit.

— Mazalie, calme-toi. Tu le dis, d'accord. Tu n'es pas obligée de le crier.

Elle s'apaisa aussitôt et reprit d'un ton humble et soumis:

160

— Je peux aimer un autre homme mais d'une manière différente...

On la regarda avec curiosité, étonnement et intérêt.

— Après tout, c'est fort possible, dit un des amis sentencieusement.

— C'est fort possible... c'est fort possible... répétèrent les autres, l'air songeur.

Quand ils réalisèrent que cette réflexion saugrenue avait la gravité d'un message, ils devinrent très attentifs.

— Comment peut-on aimer deux hommes de la même façon puisqu'il n'y en a pas deux de pareils!...

L'argument n'était pas contestable. Mazalie regarda ses amis avec assurance. Elle venait d'émettre une vérité dont elle ignorait encore les conséquences heureuses. Elle les pressentit soudainement avec une acuité qui fit jaillir de nouveau en elle la source chaude du désir. Ils se tinrent cois et perplexes. Il y avait là un couple marié, deux veufs et un vieux garçon. Quand son regard parvint à la hauteur du deuxième veuf, celui qui était assis de l'autre côté de la table vers la gauche, elle baissa les paupières, les releva aussitôt. Elle fixa l'homme médusé puis laissa tomber son regard comme si la pudeur lui interdisait de transmettre le message qui empourprait son visage. Le lendemain, le veuf ainsi désigné vint présenter une demande en mariage qui fut sur-le-champ acceptée.

Mazalie avait négligé son poulailler depuis la mort de son premier mari. Elle s'y affaira de nouveau, ratissa l'allée centrale du potager et s'appuya, émue, sur son râteau, en remarquant que son coq avait retrouvé sa majesté. Il avançait lentement en levant haut les pattes, les plumes gonflées, la crête dressée en oriflamme écarlate.

Les parties de cartes se continuèrent de la même

façon, sauf qu'à la fin de la veillée un des joueurs demeurait à la maison. Pour souligner l'importance de cette prérogative, le nouveau mari précipitait quelquefois le départ de ses compagnons. Il disait, comme par inadvertance: « Tiens, le cadran languit... faudrait le remonter, demain on travaille. Si on fume une dernière pipe, faudrait pas charger serré... » Mazalie aussitôt se troublait. Elle demeurait calme en apparence mais inévitablement commettait une erreur, discartant par exemple le roi au lieu du valet. Les hommes se regardaient entre eux malicieusement tout en observant leur ami qui pavoisait sans retenue. « Il est en forme ton mari? » soulignait un joueur moqueur. Mazalie ne répondait pas, elle laissait entendre un marmottement de satisfaction. « Tu as changé, Ernest, ce que tu as changé! » ajoutaient les copains, sincères mais certainement envieux. Mazalie ne percevait pas l'accent ironique. Elle s'extasiait devant l'allure resplendissante de son mari et consentait intérieurement qu'il puisse en ressentir de la vanité. Elle-même éprouvait une satisfaction réelle devant cette métamorphose, qui était son œuvre. Mais elle demeurait modeste. Comme un artiste qui s'enthousiasme du tableau qu'il vient d'achever sans pour autant éprouver plus d'orgueil personnel.

« On écrit que l'amour se cultive mais on oublie de dire qu'il se nourrit, » disait-elle simplement dans un de ces aphorisme particuliers. Qu'elle mettait en application. Tous les matins, en effet, avec une diligence affectueuse, elle préparait une potion: deux jaunes d'œufs battus dans du cognac. Elle la présentait dans une coupe rose en suivant un cérémonial tendre mais formel, propre à entretenir des réflexes conditionnés. « Mazalie, quand tu t'amènes ainsi, je prends feu. » « Le feu incendie rarement mais toujours il éclaire et réchauffe », répondait-elle tendrement. Il attire aussi, fascine, séduit. Sitôt que le sifflet à vapeur du moulin annonçait la fin du travail, le mari s'empressait d'enlever sa salopette, de remiser ses outils pour courir vers la maison. « Tu te surmènes, c'est certain », insinuaient les compagnons de travail en rigolant entre eux. « Fais attention, t'as plus vingt ans », insistaient plus sérieusement les amis. « C'est tout comme, répliquait le mari en sautillant vers la sortie. Quand la vie est succulente, faut prendre les bouchées doubles sans s'interroger sur sa durée! » S'il ne posa pas la question, la réponse lui fut quand même donnée au bout de cinq ans. Il s'éteignit subitement comme le ferait un phare en pleine mer. Sans raison apparente. L'on vit un autre mort qui souriait dans son cercueil. Et la veuve eut encore un chagrin immense qui eut la dimension d'un monument élevé à la gloire du défunt.

Les amis laissèrent passer les jours qu'exigent les convenances, recrutèrent un joueur additionnel et firent savoir que le temps était venu de reprendre les parties de charlemagne. La veuve acquiesça aussitôt, contente de mettre fin à une réclusion que seule la décence imposait. Quand ils furent tous de nouveau réunis autour de la table, Mazalie, sans se sentir coupable, s'inquiéta tout de même de l'opinion de ses amis. Elle ne dit rien de précis mais garda une attitude humble et insolite qui ressemblait à une imploration. Elle voulait être rassurée, semblait-il. On ne la blâma en aucune façon. Au contraire, les joueurs de cartes parlèrent des défunts avec attendrissement et complaisance comme si les deux maris étaient morts au champ d'honneur laissant aux amis survivants les retombées d'une gloire posthume. Durant les soirs qui suivirent, ils discutèrent de la vie, de ses exigences mais surtout de ses merveilleuses compensations. Une flamme monta de nouveau se poser au bord des

163

yeux de Mazalie, des yeux qui s'embrasaient pour un sourire, un geste, une allusion, un soupir. Mazalie retrouva sa façon de rire qui était non pas vulgaire mais sans retenue, qui lui faisait cambrer le dos, tendre le menton, renverser la tête et offrir sa poitrine. Une façon particulière qui immobilisait le regard des hommes. Il ne resta plus bientôt de son deuil qu'un voile diaphane. Quelques mots décisifs le déchirèrent un soir tiède de printemps.

Parti en même temps que les autres, un des joueurs était revenu sur ses pas. Mazalie, encore appuyée à la chambranle de la porte d'entrée, le vit monter l'escalier de la galerie, s'approcher d'elle. Une haleine tiède réchauffa son oreille. « Nous ne t'en voulons pas, ce n'est pas ta faute, c'est la fatalité. » Mazalie sourit, reconnaissante et attendrie. Sans s'interrompre il ajouta: « Si tu veux te remarier, ne te gêne pas. Prends le temps de respirer un peu et quand tu seras prête, fais-moi signe. » Elle ne manifesta aucun sentiment apparent, mais ouvrit grande une porte qu'elle tenait entrebâillée. « Je t'aimerai beaucoup », dit-elle. Et le joueur entra. Le lendemain Mazalie s'affaira dans son poulailler. Elle l'avait négligé depuis la mort de son deuxième mari. Le coq remonta bientôt l'allée centrale du potager comme s'il traversait les jardins de Versailles, le jabot et la crête de nouveau engorgés. Un amour qui ne se manifeste pas physiquement, qui demeure enfoui dans le cœur, a le destin d'un enfant mort-né. Mazalie aimait répéter des théories simples, généreuses, indiscutables. « L'amour résout sans doute tous les problèmes de la vie. » « Il se pratique quotidiennement. » « C'est un point fixe dont il ne faut jamais se distraire l'esprit. » « Un rêve accessible à toutes les classes de la société. » Elle s'emportait contre les prédicateurs qui mentaient effrontément: la mort n'était pas le seul dénominateur commun entre les hommes. Elle criait à l'imposture. « L'amour est un sentiment égalitaire. Et la virilité ne s'achète pas à la Bourse ni à l'épicerie du coin. » Rien ne lui paraissait plus ridicule, plus trompeur que cette habitude qu'avaient les gens d'évaluer la réussite d'une vie sur ses apparences somptuaires, par la quantité des richesses accumulées. « Tu es sûr, Armand, que tu ne me l'envies pas mon coq », criait-elle au voisin par-dessus la clôture. Elle éclatait alors d'un rire insolent de certitude. Et le voisin, sous l'effet de cette apostrophe, hochait la tête tristement en regardant cette luxueuse voiture qu'il s'exténuait à payer. Il était pâle et nerveux. Le crétin, l'imbécile... pensait Mazalie en suivant l'allée centrale du jardin. Elle redressait un pavot, secouait un plant de tabac, pinçait la tête d'un pied de tomate et, les yeux plissés d'une convoitise malicieuse, observait son coq qui s'exhibait devant le poulailler, impudique et superbe. Le voisin suspendait un instant son travail et, tout en secouant son torchon, il regardait vers le jardin et un doute visqueux, froid s'insinuait en lui. Il demeurait ainsi quelques instants puis se penchait de nouveau pour frotter le nickelé de son automobile. Puis la sirène sifflait le coup de midi et Mazalie allait se pencher à la barrière de la clôture pour voir venir son mari. Le voisin réfléchissait, mettait en doute la sagesse de sa propre conduite mais s'avouait aussitôt qu'il ne pouvait en changer: les dettes dont il s'était chargé étaient si énormes qu'il devait même escompter les bénéfices de son assurance-vie pour venir à bout de les payer.

Il s'est contenté, comme moi d'ailleurs, de regarder vivre Mazalie et de lui donner raison. Ce consentement tacite nous lia quelque temps, assez pour entretenir entre nous une conversation pénible dans laquelle nous nous plaignions mutuellement du poids de nos obligations. C'est lui qui m'apprit lors d'un retour au village, après une absence de plusieurs années, que Mazalie était décédée quelques semaines après avoir convolé en cinquièmes noces. « De quoi est-elle morte, grand dieu? » « Nous ne le savons pas, me répondit-il, elle s'est tout simplement éteinte comme une lampe qui n'a plus d'huile. »